# Um *Amor* conveniente

SÉRIE GIRL MEETS DUKE VOL. 2

# Tessa Dare

# Um Amor conveniente

1ª reimpressão

Tradução: A C Reis

GUTENBERG

Copyright © 2018 Eve Ortega

Título original: *The Governess Game*

Todos os direitos reservados pela Editora Gutenberg. Nenhuma parte desta publicação poderá ser reproduzida, seja por meios mecânicos, eletrônicos, seja via cópia xerográfica, sem a autorização prévia da Editora.

EDITORA RESPONSÁVEL
*Rejane Dias*

ASSISTENTE EDITORIAL
*Andresa Vidal Vilchenski*

PREPARAÇÃO DE TEXTO
*Carol Christo*

REVISÃO
*Andresa Vidal Vilchenski*

CAPA
*Larissa Carvalho Mazzoni*
*(sobre imagem de LEE AVISON/ Arcangel)*

DIAGRAMAÇÃO
*Larissa Carvalho Mazzoni*

Dados Internacionais de Catalogação na Publicação (CIP)
Câmara Brasileira do Livro, SP, Brasil

Dare, Tessa

Um amor conveniente / Tessa Dare ; tradução A C Reis. – 1. ed.; 1. reimp.– São Paulo : Gutenberg, 2020. – (Série Girl Meets Duke; v. 2)

Título original: The Governess Game.

ISBN 978-85-8235-624-1

1. Ficção histórica 2. Romance norte-americano I. Título. II. Série.

19-30224                                                   CDD-813

Índices para catálogo sistemático:
1. Romances históricos : Literatura norte-americana 813

Iolanda Rodrigues Biode - Bibliotecária - CRB-8/10014

A **GUTENBERG** É UMA EDITORA DO **GRUPO AUTÊNTICA**

**São Paulo**
Av. Paulista, 2.073 . Conjunto Nacional
Horsa I . 23º andar . Conj. 2310-2312
Cerqueira César . 01311-940 . São Paulo . SP
Tel.: (55 11) 3034 4468

**Belo Horizonte**
Rua Carlos Turner, 420
Silveira . 31140-520
Belo Horizonte . MG
Tel.: (55 31) 3465 4500

www.editoragutenberg.com.br

Para meus filhos, os "Darelings", porque parece que estabeleci uma tendência nesta série: dedicar os livros para pessoas que, espero, nunca o lerão. Minha filha foi uma consultora brilhante para as personagens Rosamund e Daisy, e meu filho inteligente me ensinou que algumas crianças aprendem melhor de modos não convencionais. "Darelings", eu amo vocês dois. Prometo que, de todos os meus livros, esta será a única página que os obrigarei a ler.

(Bônus: agora envergonhei vocês diante de milhares de estranhos. Conquista de mãe destravada!)

## { Prólogo }

Alexandra Mountbatten tinha bom senso. Era isso que suas amigas acreditavam.

A verdade era que Alex não tinha senso nenhum – pelo menos não quando se tratava de cavalheiros encantadores com olhos verdes marotos. Se ela tivesse um mínimo de racionalidade, não teria bancado a boba com o Mulherengo da Livraria.

Mesmo agora, mais de seis meses depois, conseguia se lembrar da cena constrangedora e vê-la se desenrolando, como se estivesse assistindo a uma peça de teatro.

O local: a livraria Hatchard's.

A data: uma tarde de quarta-feira, em novembro.

As personagens: Alexandra, claro. Suas três melhores amigas: Nicola Teague, Lady Penelope Campion e Emma Pembrooke, a Duquesa de Ashbury. E, fazendo sua estreia no papel principal (trombetas, por favor): o Mulherengo da Livraria.

A cena desenrolou-se da seguinte forma:

Alexandra equilibrava uma torre de livros de Nicola em um braço enquanto lia seu livro com a mão livre. Era um exemplar de *Catálogo de Nebulosas e Aglomerados Estelares*, de Charles Messier, que ela tinha encontrado, como uma pérola, na seção de livros usados. Procurava uma cópia de segunda mão há séculos. Alexandra não tinha dinheiro para comprar um novo.

Em um momento estava folheando alegremente páginas de descrições de nebulosas astronômicas, e no seguinte...

*Bangue.* Uma colisão de proporções astronômicas.

A causa não ficou clara. Talvez ela tenha dado um passo para trás, ou ele tenha se virado sem olhar. Não importava. O ombro de um bateu no braço do outro, as leis da física exigiram uma reação igual e oposta. Dali em diante, foi a gravidade. Todos os livros que segurava foram parar no chão e, quando ela tirou os olhos do caos que havia formado, ali estava ele.

Cabelo castanho desgrenhado, vestido com elegância, colônia que cheirava a pecado engarrafado e um sorriso que, sem dúvida, tinha sido aprendido na infância como forma de persuadir as mulheres a perdoarem qualquer coisa que fizesse.

Com um charme afável, ele recolheu os livros. Alexandra não ajudou em nada.

Ele lhe perguntou o nome; ela gaguejou.

Ele lhe pediu para recomendar um livro – um presente, ele disse, para duas garotas. Como resposta, ela gaguejou um pouco mais.

Ele se aproximou o bastante para que ela inspirasse sua água de colônia amadeirada, terrosa, máscula. Ela quase desmaiou na seção de antiguidades.

Mas então o sujeito a olhou com olhos verdes calorosos. Realmente *olhou*, do modo que as pessoas raramente faziam, porque isso significava permitir-se também olhar para elas. Reação igual e oposta.

Ele a fez se sentir a única mulher na livraria. Talvez a única mulher no mundo. Ou no universo.

O momento pareceu durar para sempre, mas, na verdade, acabou rápido demais.

Então, ele lhe fez uma reverência galante, despediu-se e foi embora com o *Catálogo de Nebulosas e Aglomerados Estelares*, de Charles Messier, deixando Alexandra com um livro insípido de histórias para "garotas obedientes".

Fim da cena.

Ou, pelo menos, esse deveria ter sido o fim.

Alex resolveu apagar o encontro de sua cabeça, mas Penny – a romântica incorrigível dentre suas amigas – não permitiu. Como ele não lhe tinha dito o nome, Penny atribuiu-lhe títulos cada vez mais ridículos. Primeiro ele foi apenas o Mulherengo da Livraria, mas conforme as semanas passavam, avançou rapidamente pelos degraus da nobreza. Sir Leitor. Lorde Literatura. O Duque de Hatchard.

*Pare*, Alex disse mais de uma vez para a amiga. *Isso aconteceu séculos atrás e eu não pensei mais nele. Com certeza ele não pensou em mim. Aquilo não foi nada.*

Só que não era bem assim. Algum recôndito imbecil de sua memória enfeitou o encontro com arco-íris e brilhos até aquilo parecer... alguma coisa. Alguma coisa humilhante demais para ser admitida em voz alta, até mesmo para Penny, Emma e Nicola. Na verdade, Alex evitava admitir para si mesma.

Daquele dia em diante, sempre que ia à Hatchard's – ou ao Templo das Musas, ou mesmo à Livraria Minerva – Alex procurava por ele. Imaginando que poderiam colidir mais uma vez, e ele confessaria, durante um chá da tarde que se transformaria em jantar, que também a tinha procurado, na esperança de reencontrá-la. Porque, era óbvio, naqueles dois minutos de dolorosa conversa unilateral, ele tinha descoberto que uma garota incoerente e desajeitada de classe trabalhadora, pequena o bastante para encher um armário médio de cozinha, era tudo o que ele sempre tinha ansiado encontrar.

*Você é exatamente o que eu estava procurando.*
*Agora que a encontrei, nunca mais a deixarei ir.*
*Alexandra, eu preciso de você.*
Bom senso, blé.

Alex trabalhava para pagar as contas, acertando relógios nas residências de clientes ricos, e não tinha tempo para sonhos. Estabelecia *objetivos* e trabalhava para alcançá-los. Pés no chão, postura ereta e seguindo em frente.

Ela não se permitiria – de jeito nenhum – ser levada por fantasias românticas.

Infelizmente, sua imaginação resolveu ignorar esse memorando. Quando sonhava acordada, o chá da tarde levava a caminhadas no parque, a conversas profundas, a beijos sob as estrelas e, até, – a dignidade de Alexandra murchava só de pensar – a um casamento.

Sério. Um casamento.

*Você aceita este homem, Mulherengo Anônimo da Livraria com Péssimo Gosto em Literatura Infantil, como seu legítimo esposo?*

Absurdo.

Após meses tentando parar com essa loucura, Alex desistiu. Pelo menos suas fantasias, por mais tolas que pudessem ser, eram um segredo só dela. Ninguém mais precisava saber. Era grande a probabilidade de que nunca mais encontrasse o Mulherengo da Livraria.

Até, claro, a manhã em que o encontrou.

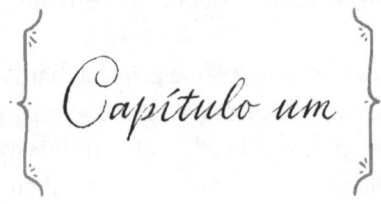

{ Capítulo um }

A manhã começou do mesmo modo que a maioria das manhãs recentes de Chase. Com uma morte trágica.
— Ela está morta.
Ele se virou de lado. Ao abrir os olhos, o rosto de Rosamund entrou em foco.
— O que foi desta vez?
— Tifo.
— Encantador.
Usando o braço estofado do sofá como apoio, ele se colocou sentado. Ao fazê-lo, a vertigem o atingiu, arrependendo-se instantaneamente de ter mudado de posição. Ele massageou as têmporas, lamentando seu comportamento na noite anterior. E sua libidinagem durante a madrugada inteira. Já que estava pensando nisso, podia também se arrepender de toda sua juventude desperdiçada. E abrir algum espaço em sua agenda esta tarde.
— Isso pode ficar para depois. — Para depois... quando a cabeça dele dele parasse de zunir e ele tivesse se lavado, livrando-se daquele aroma enjoativo de perfume francês.
— A Daisy disse que tem que ser agora, ou o contágio pode se espalhar. Ela está preparando o corpo.
Chase gemeu. Decidiu que não valia a pena discutir. Era melhor resolver logo aquilo.
Quando começaram a subir os quatro lances de escada até o quarto das crianças, ele questionou sua pupila de 10 anos:
— Você não pode fazer algo a respeito disso?

– E você?

– Ela é *sua* irmãzinha.

– Você é o tutor dela.

Chase fez uma careta, sem parar de massagear a têmpora que latejava.

– Disciplina não é um dos meus talentos.

– Obediência não é um dos nossos – respondeu Rosamund.

– Percebi. Não pense que não vi você guardar no bolso a moeda que estava no criado. – Eles chegaram ao final das escadas e viraram no corredor. – Escute, isso tem que acabar. Internatos de qualidade não oferecem vagas para ladrazinhas nem para assassinas em série.

– Não foi assassinato. Foi tifo.

– Oh, mas é claro que foi.

– E nós não queremos ir para um internato.

– Rosamund, está na hora de aprender uma lição difícil. – Ele abriu a porta do quarto. – Na vida, nem sempre a gente consegue o que quer.

E Chase não sabia disso? Ele não *queria* ser o tutor de duas garotinhas órfãs. Não *queria* ser o próximo na linha de sucessão do ducado de Belvoir. E, com toda certeza, não *queria* estar participando do quarto funeral em quatro dias. Mas lá estava ele.

Daisy se virou para os dois. Um véu de tule escuro cobria seus cabelos cor de palha.

– Por favor, mostrem algum respeito pela falecida. – Ela acenou para que Chase se aproximasse. Obediente, ele foi até o lado dela, curvando-se para que a menina pudesse prender uma faixa preta ao redor do braço dele.

– Sinto muito por sua perda – ele disse. *Sinto tanto, tanto. Você não sabe quanto.*

Ele assumiu seu lugar à cabeceira da cama, olhando para a falecida. Ela era de uma palidez fantasmagórica e estava envolta em uma mortalha branca. Botões cobriam seus olhos. Graças a Deus. Era terrivelmente perturbador quando os olhos o fitavam com aquela expressão vazia, vidrada.

Daisy pegou a mão dele e curvou a cabeça. Após conduzir a reza do Pai Nosso, cutucou Chase nas costelas.

– Sr. Reynaud, por gentileza, diga algumas palavras.

Chase olhou para cima. Que Deus o ajudasse.

– Pai Todo-Poderoso – ele começou num tom desanimado –, entregamos à sua guarda a alma de Millicent. Cinzas às cinzas. Pó ao pó. Ela era uma boneca de poucas palavras e ainda menos movimentos autônomos, mas ainda assim será lembrada pelo sorriso constante, que alguns até diriam que é pintado, em seu rosto. Pela graça de Nosso Redentor, sabemos que ela ressuscitará, quem sabe até antes do almoço. – Baixinho, ele acrescentou: – Infelizmente.

– Amém – Daisy murmurou. Com solenidade, ela baixou a boneca até o baú dos brinquedos e em seguida fechou a tampa.

Rosamund quebrou o silêncio opressivo.

– Vamos descer para a cozinha, Daisy. Tem pãozinho com manteiga e geleia de café da manhã.

– Vocês vão tomar café aqui – ele a corrigiu. – No quarto. Sua aia vai...

– Nossa aia? – Daisy lhe deu um olhar inocente e doce. – Mas nós não temos aia no momento.

Ele soltou um gemido.

– Não me digam que a nova já desistiu. Eu a contratei ontem.

– Nós nos livramos dela em dezessete horas e quinze minutos – Rosamund disse, orgulhosa. – Um novo recorde.

Inacreditável.

Chase foi até o mapa-múndi na parede e pegou uma tachinha na borda.

– *Aqui*. – Ele espetou um país a esmo, então apontou para o local tentando mostrar autoridade. – Vou mandar vocês para um internato *aqui*. Divirtam-se. – Ele fixou os olhos no mapa. – Em Malta.

Soltando fumaça pelas ventas, Chase saiu do quarto e fez o percurso de quatro lances de escada abaixo, depois desceu mais meio lance e atravessou a cozinha, chegando ao seu retiro particular. Ao entrar, fechou e trancou a porta antes de expirar um pulmão inteiro de irritação.

Para um *bon-vivant*, Chase estava terrivelmente exausto. Precisava tomar um banho, barbear-se e de algo que resolvesse sua dor de cabeça. Barrow, seu administrador, chegaria em menos de uma hora com maços de documentos para ele analisar e ordens de pagamento para assinar. O clube tinha organizado um verdadeiro bacanal na noite passada, e agora ele precisava contratar outra aia.

Antes que pudesse fazer qualquer coisa, Chase precisava de uma bebida.

Em seu caminho até o aparador com a bebida, ele navegou por uma mesa de carteado coberta com tecido e uma pilha de pinturas encostadas na parede que aguardavam ser penduradas. Seu aposento ainda estava sendo arrumado. Claro que ele tinha uma suíte bem mobiliada no andar dos quartos, mas no momento precisava de um lugar o mais distante do quarto das meninas que a arquitetura lhe permitisse. Isso não era para o bem das meninas, mas dele próprio. Chase preferia não saber as travessuras que suas pupilas faziam na parte de cima da casa, e elas nunca poderiam saber das *travessuras* que ele aprontava na parte de baixo.

Desarrolhou uma garrafa de vinho e encheu uma taça grande. Um pouco cedo para um vinho da Borgonha, mas tanto fazia. Afinal, estava de luto. E podia muito bem fazer um brinde à memória de Millicent.

Engoliu meia taça com um gole e então ouviu uma batida leve na porta. Não a que dava para a cozinha, mas a porta que se abria para a rua lateral.

Chase praguejou dentro da taça. Devia ser Colette, ele imaginou. Eles tinham se divertido uma noite dessas, mas, aparentemente, nem sua bem-conhecida reputação nem o buquê de despedida que tinha enviado comunicaram sua mensagem. Ele seria obrigado a ter "a conversa" com ela.

*Não é você, querida. Sou eu. Sou um homem defeituoso, incorrigível. Você merece alguém melhor.*

E era verdade, por mais que parecesse vigarice. Em se tratando de relacionamentos, sexuais ou não, Chase tinha uma regra: não se apegar.

Não se apegar.

Palavras que serviam para orientar sua vida. Palavras que lhe serviam na hora de fazer amor e de enviar suas pupilas para o internato. Quando fazia promessas, só causava dor.

– Entre! – ele exclamou, sem se preocupar em virar para a porta. – Está destrancada.

Uma brisa fria passou por seu pescoço quando a porta foi aberta e depois fechada. Como o toque de dedos.

Ele despejou vinho em outra taça.

– Voltou para mais uma rodada, não é, sua gatinha insaciável. Sabia que não tinha deixado sua meia aqui por acaso na outra... – ele se virou, segurando as duas taças e ostentando um sorriso malicioso – ...noite.

Interessante. A mulher que tinha entrado não era Colette.

Ela não se parecia em nada com Colette.

Diante dele estava uma jovem pequena, de cabelos pretos. Segurava uma bolsa bastante desgastada nas mãos, e seus olhos demonstravam um horror profundo. Ele conseguiu ver, de verdade, o sangue descendo do rosto dela e se acumulando na base de seu pescoço, formando um rubor intenso.

– Bom dia – ele disse, amistoso.

Como resposta, ela engoliu em seco.

– Aqui. – Chase estendeu sua mão esquerda, oferecendo-lhe a taça de vinho. – Tome isto. Você parece estar precisando.

Ele.

Era ele. Ela o teria reconhecido em qualquer lugar. Aquelas feições estavam gravadas na memória dela. Ele era lindo. Olhos verdes marotos, cabelo castanho desgrenhado e aquele sorriso tão sedutor que poderia roubar a virtude de uma mulher que estivesse do outro lado de uma sala cheia de gente.

Alexandra se encontrava pé a pé (ela era baixa demais para estar face a face) com o Mulherengo da Livraria, em carne e osso.

Tanta. Carne.

Mangas enroladas até os cotovelos, camisa aberta, sem gravata... Alexandra baixou os olhos para parar de encará-lo. Bom Deus. Pés descalços.

— Eu... eu... perdoe-me. Pensei que esta fosse a entrada de serviço. Vou sair agora mesmo. — Ela baixou a cabeça para esconder o rosto, rezando para que ele não a reconhecesse. Se fosse embora nesse momento, e rapidamente, talvez ela pudesse sobreviver àquele encontro.

— Você não está errada. Esta era a entrada de serviço até algumas semanas atrás. Estou adaptando o espaço para minha conveniência. Um tipo de retiro masculino.

Ela passou os olhos pelo aposento e foi muito fácil perceber qual era a "conveniência" dele. Bar bem abastecido. Sofá de *plush*. Cortinas de veludo roxas. Um tapete feito do couro de algum animal peludo. Na parede, um par de galhadas de cervo.

E lá estava, a tal da meia esquecida. Pendurada na galhada do animal como uma bandeira branca de rendição.

Ela tinha entrado em um tipo de masmorra do prazer.

Constrangimento a devorava por dentro. Gotas de suor surgiram em sua testa.

— É evidente que estou incomodando. Eu volto outra hora. — Ela apertou a bolsa com mais força e tentou se esgueirar por ele.

Mas ele não a deixaria sair tão facilmente. O homem era alto demais, rápido demais. Másculo e musculoso demais. Ele deslizou para o lado, bloqueando o caminho dela até a porta.

— Acredite em mim, estou encantado por vê-la.

*Eu ficarei encantada se você não me ver.*

Alex escondeu o rosto com uma mão e desviou o olhar para uma pintura encostada na parede. Era de uma mulher nua em pelo, exceto por um leque estrategicamente posicionado.

— Eu deixei um cartão na semana passada. Eu queria falar com sua governanta sobre meus serviços.

– Sim, é claro.
– Talvez você possa me encaminhar até ela.
– Eu mesmo conduzo todas as entrevistas. Acho que economiza tempo.

Ela o fitou, surpresa. Era mais do que incomum que o cavalheiro da casa entrevistasse seus empregados, ainda mais uma empregada cujo único dever seria ajustar os relógios de acordo com Greenwich uma vez por semana.

– Perdoe-me. Eu me precipitei. – Ele inclinou a cabeça num arremedo de reverência. – Chase Reynaud.

Sr. Charles Reynaud.

Sra. Alexandra Reynaud.

*Pelo amor de Deus, pare.*

Ele colocou de lado as taças de vinho e enxugou as mãos nas calças.
– Nós podemos tratar de seu início imediato. Fique à vontade.

Alex preferia ficar invisível. Ela foi na direção das janelas que revestiam uma das paredes, em parte desejando se esconder atrás das cortinas. Mas também porque foi atraída pelo brilho do metal.

Será que...?

Sim. Afastando uma dobra do veludo cor-de-berinjela, ela encontrou a confirmação de suas esperanças.

Um telescópio.

Desde a infância, Alexandra era fascinada pelo céu noturno. A vida a bordo de um navio mercante não lhe oferecia muitas formas de entretenimento após o pôr do sol. Ela pegava a luneta do pai com tanta frequência que ele acabou se rendendo e comprando uma para Alexandra. Em Londres, ela se virava com um telescópio retrátil de bolso que tinha comprado por dezesseis xelins em uma óptica. Um instrumento amador.

Mas este...?

Este era, sem dúvida, o objeto mais espantoso que ela já tinha tocado.

Sem pensar, ela se curvou para espiar através da ocular do telescópio. Ela percebeu que o instrumento estava apontado para a janela do sótão da casa em frente. O quarto de uma ou duas belas criadas jovens, sem dúvida.

Alex desviou o instrumento de seu alvo sórdido e o apontou para o jardim no meio da praça. Céus, ela conseguia distinguir as folhas amareladas de grama que saíam do solo.

Atrás dela, vidros tilintaram. Ela se assustou, afastando-se do telescópio com um salto que o derrubou do tripé, jogando-o contra um vaso próximo. Ela teve que mergulhar para pegá-lo antes que se espatifasse no chão. Que demonstração de habilidade profissional. *Ora, isso mesmo, estou aqui para oferecer meus serviços cuidando de máquinas complexas e caras.*

— Perdoe-me. Não sei seu nome, Srta....

A língua dela parecia estar num nó de marinheiro.

— Mountbatten — ela conseguiu dizer. — Alexandra Mountbatten.

Então ele inclinou a cabeça e olhou para ela. Olhou *de verdade* para ela, com aquele mesmo olhar profundo, investigativo com que a observou na livraria.

O coração dela parou de bater com a expectativa.

Alexandra não esperava uma confissão de amor não correspondido, claro. No máximo, um simples *Nós não nos conhecemos?* Talvez até um *Ah, sim. Na Hatchard's, não foi?*

— Srta. Mountbatten. Prazer em conhecê-la.

Oh. Ele não lembrava de tê-la conhecido.

Um golpe de sorte, ela disse para si mesma. Caso lembrasse dela, seria porque Alex tinha permanecido em sua memória como uma tonta desajeitada e gaga, não como alguém digna de admiração. Isso era uma vantagem, na verdade. Agora ela poderia parar de desperdiçar tempo pensando nele.

Seria completamente irracional sentir-se decepcionada. Mais ainda, magoada.

Contudo, a capacidade lógica de Alexandra saía voando pelas orelhas dela quando aquele homem estava envolvido. Ela se sentia, de fato, magoada. Dentro dela, a prova contundente de sua tolice socava e amassava seu orgulho.

Ele limpou a mesa, tirando um candelabro com duas velas derretidas e dois copos de conhaque sujos. Em seguida, puxou a meia esquecida da galhada e — depois de procurar em vão um lugar adequado para guardá-la — enrolou-a e a enfiou debaixo de uma almofada.

— É melhor eu ir embora — ela disse. — Parece que eu estou interrompendo algo e...

— Você não está interrompendo nada. Nada que tenha importância, de qualquer modo. — Ele bateu no encosto de uma poltrona. — Sente-se.

Aturdida, ela aceitou o assento que lhe era oferecido. Ele deixou-se cair na espreguiçadeira à sua frente. Pelo modo como afundou no estofamento, Alexandra desconfiou que aquela peça de mobília já tinha sustentado e amortecido muitos encontros tórridos.

Em uma última tentativa de parecer apresentável, ele passou a mão pelo desgrenhado cabelo castanho.

— Tenho duas coisas que precisam de atenção.

*Relógios.*

Sim. Concentre-se nos relógios. Aquelas coisas que fazem tique-taque e têm mostradores e engrenagens e números. Eram seu ganha-pão, e ela andava batendo na porta de toda entrada de serviço em Mayfair para conseguir mais clientes. Alexandra não estava ali para admirar o tufo de pelos no peito dele, nem para fazer conjecturas sobre o significado da faixa preta que ele trazia no braço, tampouco para se martirizar pelas fantasias tolas nas quais ele a tomaria nos braços, confessaria os meses em que sofreu de amor por ela e juraria abandonar sua vida de devassidão agora que Alex tinha lhe dado uma razão para viver.

Ela fechou a tampa de sua imaginação, passou o ferrolho e o prendeu com um cadeado, então jogou-a de um precipício.

Aquela era apenas mais uma visita de negócios.

– Não sei lhe dizer muito da história delas – ele continuou. – Passaram pelas casas de diversos parentes antes de acabarem comigo, no último outono.

Heranças de família, então.

– Devem ser peças preciosas.

– Ah, sim – ele respondeu com ironia. – Muito preciosas. Para ser sincero, não tenho ideia do que fazer com as duas. Vieram com o título.

– O título? – ela repetiu.

– Belvoir. – Como ela não reagiu, ele acrescentou: – O Duque disso aí.

Uma gargalhada exagerada escapou de Alexandra.

Um *duque*? Oh, como Penny adoraria ter adivinhado isso.

– Acredite em mim – ele continuou –, também acho um absurdo. Na verdade, sou apenas herdeiro de um duque, por enquanto. Mas como meu tio está doente, recebi as responsabilidades legais. Todos os deveres de um ducado, nenhuma das vantagens. – Ele fez um gesto na direção dela. – Bem, então me ensine alguma coisa.

– Eu... não entendi.

– Eu poderia perguntar sobre a sua formação e sua experiência, mas isso me parece uma perda de tempo. É melhor eu ver uma aula.

Uma *aula*? Ele queria saber de que modo os relógios funcionavam? Talvez quisesse saber do cronômetro. Ela poderia lhe explicar como o cronômetro mantinha a hora certa enquanto os relógios podiam atrasar vários minutos por dia.

– Que tipo de aula você tem em mente?

Ele deu de ombros.

– Qualquer coisa que você ache que eu precise aprender.

Alex não conseguiu segurar mais. Ela escondeu o rosto nas mãos e gemeu atrás delas.

No mesmo instante, ele se inclinou na direção dela.

– Você está doente? Espero que não seja tifo.

– É decepção. Eu esperava algo diferente. Mas deveria saber.

– O que, exatamente, estava esperando? – Ele arqueou uma sobrancelha.

– Você não quer saber. – *E não quero contar para você.*

– Ah, mas quero saber, sim.

– Não, não quer. Você, na verdade, não quer saber.

– Ora essa. Esse tipo de afirmação só torna um homem mais curioso. Diga logo o que é.

– Um cavalheiro – ela soltou. – Imaginava que você fosse um cavalheiro.

– E não está errada. Eu *sou* um cavalheiro. Em algum momento vou me tornar um nobre.

– Não foi o que quis dizer. Pensei que você fosse do tipo respeitável, honrado, atencioso, de cavalheiro.

– Ah! – ele exclamou. – Sim, essa foi uma suposição errônea da sua parte.

– É obvio. Olhe só para você.

Enquanto falava, o olhar dela foi baixando, passando pelos ombros largos, chegando à camisa amarrotada. E parando no triângulo do peito masculino exposto pelo colarinho aberto. A pele ali parecia lisa e firme, e os contornos musculares eram definidos, e...

E ela o estava encarando abertamente agora.

– Olhe para este lugar – ela continuou. – Garrafas de vinho espalhadas sobre a mesa. Perfume ainda pairando no ar. Que tipo de cavalheiro conduz uma entrevista de emprego nesta... – Ela apontou para o ambiente, sem encontrar a palavra. – Nesta caverna de devassidão?

– Caverna de Devassidão – ele repetiu, achando divertido. – Oh, gostei disso. Acho que mandarei fazer uma placa.

– Então agora você compreende minha suposição errônea. – As palavras continuaram saindo dela, cruas e irrefletidas, e Alex não conseguia controlá-las. Ela não conseguia nem mesmo pensar no que estava falando. – Quando abri a porta, fui tola o bastante para esperar outro tipo de pessoa. Um homem que não deixaria uma dama andar por Londres com apenas uma meia e dizer "nada que tenha importância". Meias são importantes, Sr. Reynaud. Assim como as mulheres que as vestem. – Ela fez um gesto desanimado em direção à faixa preta no braço dele. – E tudo isso enquanto está de luto.

– Agora *isso* eu posso explicar.

– Por favor, não. A lição já é cruel o bastante. – Ela meneou a cabeça.

– E tem também o telescópio.

– Espere um instante. – Ele se inclinou para frente. – O que o telescópio tem a ver com tudo isso?

– Esse – ela apontou com o braço estendido – é um Dollond genuíno. 46 polegadas, acromático, com objetiva de três elementos de vidro e abertura de 3 ¾. Tubo de madeira envernizada e anéis de bronze. Capaz de aumentar em sessenta vezes objetos em terra, e 180 vezes objetos celestiais. É um instrumento que a maioria das pessoas apenas sonha em possuir, e você o deixa ali, pegando poeira. É... Bem, é de partir o coração.

De partir o coração, mesmo.

No fim, Alex só podia culpar a si mesma. Todas as pistas eram evidentes. O péssimo gosto em livros. O sorriso encantador que fazia promessas que nenhum homem cumpriria. E aqueles olhos... Eles guardavam algum tipo de magia potente, que entorpecia o cérebro. E ele saía por aí, trombando em mulheres em livrarias, sem ter a decência de manter aqueles olhos escondidos sob um chapéu de aba larga.

O único consolo dela era que ele esqueceria esta conversa no instante em que ela partisse, assim como já tinha esquecido dela uma vez.

– Obrigada, Sr. Reynaud. Hoje *você* me deu uma lição muito necessária. – Ela soltou um suspiro pesado e virou o olhar para a parede. – Galhadas. Sério?

Após um silêncio prolongado, ele assobiou baixo através dos dentes.

Ela se levantou, pegando a bolsa.

– Pode deixar que encontro a saída.

– Ah, não. Não mesmo. – Ele levantou. – Srta. Mountbatten, isso foi maravilhoso.

– O quê?

– Absolutamente brilhante. Eu gostaria muito de contratar seus serviços.

Talvez ela tivesse entendido tudo errado. Ele não era o Mulherengo da Livraria, afinal, mas o Maluco da Livraria.

Então, ele fez a coisa mais incompreensível de todas. Ele a fitou nos olhos, sorriu o bastante para revelar covinhas fatais, e falou as palavras que ela, tola, tinha sonhado ouvi-lo dizer.

– Você – ele disse – é tudo que eu estava procurando. E não vou deixá-la escapar.

Oh.

Oh, *Deus*.

– Venha comigo. Minhas pupilas vão adorar conhecer a nova aia.

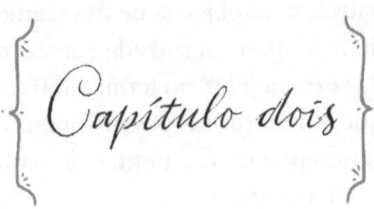

## Capítulo dois

— Ia?

Alexandra ficou sem fala.

— Eu a acompanho até o quarto delas. — Numa demonstração de arrogância masculina, o Sr. Reynaud pegou a bolsa dela. Ao aliviá-la do peso, suas mãos se roçaram. A transferência momentânea de calor tirou o equilíbrio do cérebro da moça. Ele se virou e caminhou até os fundos da sala. — Por aqui.

Ela sacudiu os braços que estavam dormentes e o seguiu. Como poderia não seguir? Ele tinha pegado sua bolsa – e com ela, seu cronômetro, e a agenda com clientes e compromissos. Seu ganha-pão estava literalmente nas mãos dele.

— Sr. Reynaud, eu...

— Elas se chamam Rosamund e Daisy. 10 e 7 anos, respectivamente. Irmãs.

— Sr. Reynaud, por favor. Nós podemos...

Ele a conduziu através da cozinha e escada acima. Eles chegaram ao corredor do primeiro andar. Ela o seguiu por uma passagem com paredes revestidas de seda cor-de-esmeralda listrada. Pela maciez que sentiu ao pisar, poderia até imaginar que o chão do corredor fosse acarpetado com nuvens. Seu trabalho a levava a muitas casas finas em Londres, mas Alex nunca deixava de se maravilhar com o luxo.

Ele a guiou pela escadaria principal, subindo dois degraus de cada vez.

— O sobrenome delas é Fairfax, mas é provável que se trate de nome adotado. São filhas naturais. Algum parente distante teve vários e deixou a guarda delas com o Estado.

Enquanto subiam lance após lance da escada, Alexandra mal conseguia acompanhar o ritmo dele, muito menos mudar o tópico da conversa.

— Vou mandá-las para a escola no próximo semestre — ele disse, e acrescentou, preocupado: — Supondo que eu consiga subornar alguma escola para que as aceite.

Enfim, chegaram ao último andar da casa. Alex adiantou-se e segurou a manga dele.

— Sr. Reynaud, por favor. Houve um tipo de mal-entendido. Um mal-entendido muito sério.

— De modo algum. Nós nos entendemos perfeitamente. Sou uma tristeza como cavalheiro, como você mesmo disse. Mas também não sou bobo. Aquela bronca que você me deu lá embaixo foi brilhante. As garotas precisam de pulso firme. Disciplina. Sou a última pessoa no mundo que poderia lhes ensinar bom comportamento. Mas você, Srta. Mountbatten? Você nasceu para este serviço. – Ele gesticulou para os quartos que davam para o corredor. – Você vai ter seus próprios aposentos, é claro. O quarto das crianças é aqui.

— Espere...

— Aqui estamos. – Ele escancarou a porta.

A mente de Alexandra recusou-se a entender a cena. Duas garotas de cabelo claro estavam de pé, uma de cada lado da cama. Uma cama linda. Com dossel de quatro pilares dourados, cobertura de renda lavanda e cortinas igualmente douradas presas por cordões cor-de-rosa. Essa cama seria o sonho de qualquer garotinha. A parte de baixo, contudo, era um pesadelo. Os lençóis brancos estavam manchados de vermelho.

— Vocês chegaram tarde demais. – A mais nova das duas se virou para eles com uma expressão sinistra de tão solene. – Ela morreu.

— Maldição. – O Sr. Reynaud suspirou alto. – De novo, não.

Chase não podia acreditar.

Duas vezes na mesma manhã. Insuportável.

Ele largou a bolsa da Srta. Mountbatten e foi até a cama, onde passou o dedo no lençol sujo. Aparentemente, geleia de groselha vermelha.

— Foi a diarreia de sangue – Rosamund disse.

Claro que sim. Chase apertou o maxilar.

– De agora em diante não vai haver mais geleia. De nenhum tipo, vocês me ouviram? Nada de geleia, nem gelatina, nenhum tipo de conserva.

– Nada de geleia? – Daisy repetiu, pesarosa. – Por que não?

– Por que não vou rezar por outra vítima de lepra coberta de feridas que exsudam marmelada! É por isso. Ah, e nada de purê de ervilhas, também. A indigestão que Millicent teve semana passada arruinou o tapete da sala de estar.

– Mas...

– Chega de discussão. – Ele apontou o dedo para suas pupilas mórbidas. – Ou vou trancar vocês duas neste quarto e alimentá-las apenas com migalhas mofadas.

– Que gótico – Rosamund observou.

– Receio que eu tenha que ir, agora. – A interrupção débil veio da Srta. Mountbatten, que tinha permanecido na entrada do quarto.

E que, em seguida, pegou furtivamente sua bolsa, deu meia-volta e desapareceu no corredor.

Maldição.

Chase foi até o mapa e enfiou uma tachinha no primeiro lugar vazio que enxergou.

– Comecem a fazer as malas.

– Não existe nenhum internato na Lapônia – Rosamund afirmou.

– Vou doar o dinheiro necessário para criarem um – ele disse enquanto corria até a porta. – Espero que gostem de arenque.

Então ele correu atrás de sua nova – e, por Deus, não a última a se demitir – aia.

– Espere. – Ele desceu três degraus de cada vez, pulando por cima do corrimão para encontrá-la no último patamar. – Srta. Mountbatten, espere. – Estendendo-se, ele a segurou pelo braço.

Eles pararam na escadaria. Chase era alto e Alex, baixa. O topo da cabeça dela chegava ao meio do esterno dele. A conversa era cômica de tão impossível. Ele a soltou e desceu dois degraus, para poder fitá-la nos olhos. E o olhar dela quase o derrubou da escada. Para uma mulher de baixa estatura, ela produzia um impacto prodigioso. O nariz, um botão delicado, a pele morena e o cabelo, um preto meia-noite brilhante. E olhos escuros infinitos que extraíam algo do fundo do peito dele. Chase precisou de um momento para se recompor.

– Millicent é a boneca da Daisy. A menina mata essa coisa uma vez por dia, no mínimo, mas... – Maldição, ele tinha deixado manchas vermelhas na manga de Alex, e só Deus sabia que substância ela iria pensar que aquilo era. – Não, isso não é o que você está pensando. É só geleia de groselha. – Ele levantou o dedo indicador à altura da boca de Alex. – Aqui, pode provar.

Alexandra arregalou os olhos para ele.

– Você está propondo que eu lamba seu dedo?

Chase limpou a mão na própria camisa. Deus, ele estava estragando tudo. Se ela ficasse preocupada com a própria virtude, isso não seria bom para ele. Qualquer moça hesitaria em aceitar um emprego na casa de um mulherengo escandaloso – mesmo que as pupilas do mulherengo fossem verdadeiros anjos. E as pupilas de Chase eram incorrigíveis diabretes mórbidos.

Na verdade, o emprego que ele oferecia não trazia muitas vantagens, exceto por uma.

– Vou lhe pagar muito bem – ele disse. – Uma quantia astronômica.

– Houve um engano. Eu vim oferecer meu serviço de relojoeira. Não sou aia. Não tenho treinamento nem experiência. E aias costumam ter berço, não é verdade? Também não possuo essa qualificação.

– Não ligo se você tem berço, cama de armar ou só um colchonete no chão. É instruída, compreende decoro e... está respirando.

– Tenho certeza de que encontrará alguém para ocupar o cargo.

– O cargo já foi ocupado. E vago. E ocupado e vago diversas vezes. Em certa ocasião, muitas vezes no mesmo dia.

*Você não está ajudando em nada sua oferta, Reynaud.*

– Mas você não é como o resto das candidatas – ele se apressou a dizer. – Você é diferente.

Ela *era* diferente.

Ali estava uma mulher que tinha lhe passado uma descompostura. Ela o achava um vadio grosseiro e obtuso. Um exemplo triste de nobreza e um desperdício de boa alfaiataria. A Srta. Mountbatten, muito sabiamente, não queria nada com ele.

E Chase estava desesperado para mantê-la perto de si.

O desejo que crescia dentro dele não era físico. Bem, não era *inteiramente* físico. A Srta. Mountbatten era bonita, e ele apreciava uma mulher franca que sabia do que estava falando. Mas, misturado à atração havia algo mais. Um desejo de impressioná-la, de merecer sua aprovação.

Ela fazia com que Chase quisesse ser alguém melhor. E essa não era uma qualidade ideal numa aia? Ele *tinha* que manter essa mulher em sua folha de pagamento.

— É só durante o verão — ele disse. — O salário de um ano por alguns meses de trabalho.

— Sinto muito. — Ela deu a volta nele e continuou descendo a escada.

— Dois anos de salário. Três.

— Sr. Reynaud...

Chase a alcançou na porta.

— Tudo se resume a isto: aquelas garotinhas precisam de você.

Ele esperou até ela olhar para ele, então empregou seu arsenal de persuasão.

Uma engolida em seco, indicando uma luta masculina com as emoções.

Um olhar intenso, suplicante.

Uma confissão num sussurro rouco.

— Srta. Mountbatten. — Bem, por que não arriscar tudo? — Alexandra, *eu* preciso de você.

Pronto. Essa frase funcionava com todas as mulheres.

Mas não funcionou com ela.

— Não precisa, não. — Um lampejo de ironia passou pelo rosto dela. — Não se preocupe. Logo vai se esquecer de mim.

Então, Alexandra fez o que Chase frequentemente desejava fazer. Ela abriu a porta, saiu da casa e não olhou para trás.

# Capítulo três

Duas horas mais tarde, Alexandra se viu parada na doca de Billingsgate. Aterrorizada.

A manhã de junho estava inundada de sol, mas ela tinha saído da casa do Sr. Reynaud com a mente nublada. Sua confusão era tamanha que ela tinha errado duas vezes seu caminho habitual até a Ponte de Londres, e agora tinha perdido a diligência do meio-dia para Greenwich.

A solução racional seria descer o Tâmisa numa balsa. Contudo, a mera visão do barco fazia um arrepio descer por sua coluna.

*Não consigo. Simplesmente não consigo.*

Mas quais eram suas alternativas?

Se arriscasse esperar por uma próxima carruagem, a ponte ficaria uma loucura, cheia de carroças indo à toda parte. Ela nunca chegaria em casa antes de escurecer.

Ela podia desistir da viagem, porém, calibrar seu cronômetro uma vez a cada quinze dias era a promessa que ela tinha feito aos clientes. Eles pagavam pelo horário exato de Greenwich, e era o que ela fornecia, sem falta.

*Apenas vá em frente*, ela disse para si mesma. *Está na hora de deixar isso para trás, sua boboca. Afinal, você foi criada em um navio. Uma fragata mercante foi seu berço.*

Sim. Mas essa embarcação também quase foi seu caixão.

Apesar de tudo, lá estava ela, após dez anos. Viva. Podia sobreviver a uma breve jornada pelo Tâmisa até Greenwich.

Ela podia fazer isso.

Enquanto o barqueiro carregava pacotes e ajudava os passageiros a entrar na balsa, ela ficou para trás, esperando até o último momento possível.

– A senhorita vem ou não?

– Eu vou. – Alex aceitou a mão dele e embarcou, acomodando-se num banco entre duas mulheres mais velhas e apoiando sua bolsa no colo.

Quando o barqueiro soltou as cordas que atracavam a barca ao píer, ela decidiu pensar em outra coisa. Agora que tinha aprendido que não adiantava ter fantasias com Chase Reynaud, uma boa parte de seu cérebro de repente ficou disponível para novos desafios. Recitar todas as constelações em volta da Ursa Maior, por exemplo.

Droga. Fácil demais. Ela repassou a lista toda em segundos: *Dragão, Girafa, Lince, Leão Menor, Leão, Cabeleira de Berenice, Pegureiros e Boieiro* – e aí a concentração dela se desfez. Depois que o primeiro remo atingiu a água, ela não conseguiu mais formar nenhum pensamento.

Ela fechou as mãos, enterrando as unhas nas palmas, tentando se distrair por meio da dor. Isso também não deu certo. Não sentia nada além do balanço da água embaixo da embarcação. A sensação aterradora de estar desatracada. De vagar sem amarras.

Não. Ela não podia mesmo fazer aquilo.

Alex se levantou e abriu caminho até a borda do barco. Eles ainda não tinham se distanciado. Estavam a um passo do píer.

– Espere – ela disse ao barqueiro. – Lembrei de uma coisa. Preciso desembarcar.

– Tarde demais, senhorita. Você pode sair quando a balsa voltar. – Ele se preparou para empurrar o píer com o remo.

– Por favor. – Ela estava implorando, a voz falhando. – É urgente. Eu preciso sair do barco. Eu...

– Sente-se, moça – ele rugiu, apoiando o remo para empurrar.

Alex entrou em pânico. Ela subiu na murada do barco, balançando na ponta dos pés. Os outros passageiros gritaram, assustados, quando o barco inclinou para o lado. O barqueiro segurou a barra do vestido dela, tentando puxá-la para dentro do barco. O gesto dele só fez aumentar o desespero dela.

Alex avaliou rapidamente a distância entre a balsa e o píer. Ela calculou que conseguiria, mas só se saltasse.

E saltasse *agora*.

Ela pulou.

Seu cálculo não estava errado. Se a bota dela não escorregasse na murada da balsa, seu salto teria sido perfeito. Mas ela caiu na água com estrondo, soltando uma exclamação e enchendo a boca com a água suja do Tâmisa.

Quando emergiu, um homem no píer a pegou por baixo do braço e a puxou para cima, ajudando-a a sair do rio.

Na doca, enfim, ela cuspiu água e suspirou de alívio.

Foi então que ela notou que tinha sumido. Sua bolsa. O cronômetro. Ao pular no rio, Alex soltou a bolsa, que afundou nas profundezas.

Seu meio de vida, perdido.

Um soluço escapou de seu corpo, como uma gota que cai de um pano molhado.

Mais uma coisa que lhe tinha sido tirada pela água, o monstro insaciável em sua vida. A baleia de Jonas. Devorando tudo que Alex amava, mas devolvendo-a, de novo e de novo, mais perdida e solitária do que nunca.

E, mais uma vez, não havia nada para fazer além de recolher seus pedaços e começar do zero.

– Bem? O que você acha? – Chase abriu os braços e deu uma volta lenta, exibindo seu aposento inacabado. – Estou transformando o espaço num retiro masculino.

Barrow olhou para a bagunça que antes era os aposentos da governanta.

– Onde estão as coisas da Sra. Greeley?

– Transferi a governanta para um quarto no segundo andar. Acomodação muito superior.

– Posso perguntar a razão por trás dessa reforma?

Chase foi servir dois copos de conhaque.

– Até Rosamund e Daisy irem para a escola, preciso de um lugar para me esconder.

– Um homem adulto se escondendo de duas garotinhas. Isso é bem patético, não?

– Ora, vamos. Eu não sei lidar com crianças. Não tenho porque me preocupar em aprender. Não vou gerar nenhuma dessas criaturas nojentas. Mesmo que eu quisesse me casar, é inútil procurar uma esposa. Você já tomou posse da melhor mulher na Inglaterra.

– Isso é verdade.

John Barrow, o pai, tinha sido o advogado do pai de Chase, e desde o tempo em que Chase e John Jr. eram garotos, ficou entendido que os dois continuariam a tradição da família. Também ficou entendido, ainda que nunca tenha sido dito, o motivo por trás disso. Os dois eram meios-irmãos. O pai de Chase tinha engravidado a filha de um cavalheiro e seu leal advogado tomou para si a obrigação de se casar com ela e criar o filho como seu.

Assim, Chase e John cresceram juntos, compartilhando professores e surras. Brigando por cavalos e garotas. Apesar da disparidade de nível social, mantiveram uma amizade próxima durante a escola e depois dela. Foi muita sorte da parte de Chase. Agora com um ducado em jogo, ele precisava de um amigo de confiança para ajudar a administrar as propriedades.

– Como está meu afilhado? – Chase perguntou. – Por falar em criaturas nojentas.

– Charles está fazendo jus ao nome, infelizmente.

– Ah. Encantando toda mulher que o vê.

– Vadiando enquanto os outros trabalham.

– Pois fique você sabendo – Chase começou, indignado – que tenho trabalhado duro na sua ausência. Veja a reforma que está acontecendo ao seu redor. Eu mesmo fiz o bar, muito obrigado. Ele só precisa de mais algumas demãos de verniz. E se isso não for suficiente para você, saiba que na última semana, apenas, eu examinei uma década de extratos bancários, dei sete orgasmos e entrevistei cinco aias. E, não, nenhuma das aias estava entre as recebedoras de orgasmos, embora algumas delas parecessem precisar de um.

– Cinco candidatas e você não conseguiu contratar nenhuma?

– Contratei todas elas. Nenhuma durou mais do que dois dias. Na verdade, a última não passou da porta do quarto das crianças. O que foi uma pena, porque eu tinha esperança nela. Era diferente.

Normalmente, Chase precisava convencer as mulheres a irem embora. Ele gostaria de ter conseguido convencer Alexandra Mountbatten a ficar.

– Isso foi estranho. – Barrow olhava desconfiado para ele.

– O que foi estranho?

– Você suspirou.

– Isso não é nem um pouco estranho. Não ultimamente.

– Bem, foi o tom do suspiro. Não foi um tom de cansaço ou aborrecimento. Foi... melancólico.

Chase lhe deu um demorado olhar torto.

– Nunca fui melancólico na minha vida. Sou totalmente isento de melancolia. – Ele esticou o colete. – Agora, se me dá licença, tenho um compromisso esta noite. As mulheres de Londres não conseguem se dar prazer sozinhas, sabe. Quero dizer, elas *conseguem* se dar prazer sozinhas. Mas de vez em quando são generosas o bastante para me dar uma chance.

– Quem é desta vez?

– E você liga para quem é?

– Não sei. *Você* liga? – Barrow lhe deu um olhar que cortou como uma navalha. – Algum dia vai ter que parar com isso.

Chase ficou irritado.

– Você é advogado. Não juiz. Poupe-me dos sermões. Não faço a elas nenhuma promessa que não pretendo cumprir.

Na verdade, ele não fazia promessa alguma. Suas amantes sabiam muito bem o que ele tinha para oferecer – prazer – e o que ele não podia lhes dar – nada além de prazer. Nada de ligação emocional, nada de romance, nada de amor.

Nada de casamento.

Como decidiram guerra, doença e seus próprios fracassos imperdoáveis, Chase tinha passado, em apenas três anos, de quarto na linha de sucessão a herdeiro presuntivo do título do tio. Foi algo que poucos poderiam ter imaginado, e que ninguém, Chase incluído, tinha desejado. Mas depois que seu tio largasse o fino cordão que o mantinha vivo, Chase iria se tornar o Duque de Belvoir, totalmente responsável por terras, investimentos e arrendatários.

Havia apenas uma responsabilidade tradicional que ele não assumiria.

A de gerar um herdeiro.

O título Belvoir deveria ter sido de Anthony por direito, e Chase se recusava a usurpar a herança do primo. A linhagem de Chase era o ramo podre da árvore da família, e ele pretendia podá-lo. Por completo. Era o mínimo que ele podia fazer para se redimir.

E como não haveria casamento nem filhos em seu futuro, ele não merecia um pouco de prazer no presente? Um toque de intimidade de vez em quando. Palavras sussurradas em seu ouvido, o calor da pele na pele. O aroma, o sabor e a maciez de uma mulher ao entregar seu prazer a ele.

Umas poucas e abençoadas horas em que podia se esquecer de todo o resto.

– Qual destas vai ficar melhor pendurada no bar? – Chase ergueu duas pinturas. – A dançarina com o leque ou as ninfas se banhando? As ninfas estão com esses traseiros nus deliciosos, mas a expressão atrevida nos olhos da dançarina é cativante, não dá para negar.

– Então – Barrow ignorou a pergunta –, se você não conseguiu encontrar, nem manter, uma aia, quem está cuidando das garotas?

– Uma das criadas. Hattie, eu acho.

Ele mal tinha acabado de dizer isso quando gritos e um tropel desceram pela escadaria.

Hattie apareceu na porta, o cabelo desgrenhado e seu avental cortado em farrapos.

– Sr. Reynaud, lamento dizer que não posso continuar trabalhando para o senhor.

– Não precisa dizer mais nada – ele a interrompeu. – Pela manhã você receberá vários salários e uma carta de recomendação.

A empregada fugiu balbuciando de gratidão.

Depois que ouviu a porta se fechar, Chase afundou numa cadeira e enterrou o rosto nas mãos. Lá iam os planos dele para a noite.

– Agora *esse* foi um suspiro de desespero – Barrow disse.

A campainha da porta da frente tocou.

– É melhor eu mesmo atender – Chase se levantou. – Não sei muito bem quantos criados me restaram.

Ele abriu a porta e lá estava ela: Srta. Alexandra Mountbatten. Encharcada até a alma, o cabelo preto pingando.

Chase esforçou-se para não olhar para baixo, e quando o fez, disse para si mesmo que era por preocupação com o bem-estar dela. Ele *estava* preocupado com o bem-estar dela. Principalmente se alguém definisse "bem-estar" como "seios".

Então ele reparou nos mamilos dela. E daí? Ele passava uma parte ridícula de seu tempo acordado pensando em mamilos. Os dela apenas eram os mais próximos e mais gelados. Duros como pedras preciosas debaixo do corpete. Vermelhos como rubis, talvez. Ou rosa-topázio, ametista clara...? Não. Como a coloração dela tendia para o moreno, seus mamilos eram, provavelmente, de um âmbar intenso, reluzente.

O bater dos dentes chamou a atenção dele para cima. Deus, ele era mesmo o mulherengo repulsivo de que ela o havia chamado, e pior.

Ela estava com o lábio inferior roxo, entre os dentes.

– O emprego continua disponível?

Ele não hesitou.

– Diga seu preço.

– Dez libras por semana. Mais cem quando elas forem para a escola.

– Cinco libras por semana – ele contrapôs. – Mais 200 quando elas forem para a escola.

– Mais uma coisa. – Debaixo dos cílios que pingavam, os olhos dela procuraram os dele. – Quero usar seu telescópio. O que está na sua...

– Caverna de devassidão? – Ele cruzou os braços e se encostou na porta.

– Isso.

Chase pensou que, de fato, tinha oferecido uma quantia *astronômica*. Além do que, ele não usava aquilo.

— Muito bem — ele concordou.

Ela fungou.

— Eu me apresentarei amanhã cedo.

Chase segurou Alexandra pelo braço quando ela se virou para ir embora.

— Bom Deus. Pelo menos entre e se aqueça.

*Eu vou aquecer você.*

Ele afastou o pensamento errante como faria com um cachorrinho carinhoso. Ela era sua empregada, agora, e essas ideias não tinham lugar. Até ele possuía esse mínimo de decência.

— Obrigada, mas não. Preciso fazer minhas malas.

Ela se afastou, deixando uma trilha de pegadas molhadas. Chase procurou um guarda-chuva no vestíbulo, mas não encontrou. Claro que também não havia um sobretudo por ali, não no meio de junho.

Praguejando, ele saiu em disparada de mãos abanando e correu atrás dela.

— Srta. Mountbatten.

— Sim? — Ela parou e se virou.

— Você não vai embora vestida assim. — Ele tirou seu próprio paletó, feito sob medida.

— Não posso aceitar seu paletó.

— Você pode e vai aceitar. — Ele colocou o paletó nos ombros dela e o fechou bem. Ela era tão pequena que a barra da peça quase chegava em suas botas. Uma visão ao mesmo tempo cômica e comovente.

— Mas...

Ele puxou as lapelas do paletó, fechando-as mais.

— Eu sei, eu sei. Você é mandona. Como aia, é uma vantagem. Mas faz dois minutos que sou seu patrão. Pelo tanto que estou lhe pagando, espero que faça o que eu digo. — Enquanto abotoava o paletó, ele continuou: — Dada a rapidez com que você recusou minha oferta de emprego esta manhã, é óbvio que algo de terrível aconteceu para fazer com que mudasse de ideia. Se eu fosse um sujeito minimamente decente, perguntaria qual foi esse acontecimento terrível e procuraria resolvê-lo. Como sou um canalha egoísta, contudo, pretendo tirar vantagem da sua situação infeliz.

Pronto. Ele tinha acabado de abotoá-lo e recuou para observá-la. Alexandra Mountbatten parecia um enroladinho de salsicha.

Um enroladinho de salsicha molhado. Um enroladinho de salsicha molhado e confuso com cabelo liso de ébano que transmitiria um sensação de seda a seus dedos.

Certo. Ele se obrigou a voltar ao assunto.

– Eu preciso de uma aia. E não qualquer aia. Srta. Mountbatten, eu preciso de *você*. E é por isso que não permitirei que volte para casa na chuva e acabe pegando uma gripe.

– Mas não está...

– Eu insisto. O mais insistentemente possível.

Ela piscou os olhos.

– Está bem.

Enfim, ela cedeu e foi andando pela calçada, sumindo de vista ao virar a esquina.

Voltando para a casa, Chase teve uma sensação inesperada. Ou melhor, ele sentiu falta de uma sensação esperada. A Srta. Mountbatten tinha aparecido à sua porta encharcada até a alma, mas ele não tinha sentido nenhuma gota de chuva.

Ele inclinou a cabeça para observar o céu. Estranho. Não havia nada acima, exceto as faixas azuladas e laranjas do crepúsculo.

Não estava chovendo.

Na verdade, e, pensando bem, não tinha chovido o dia inteiro.

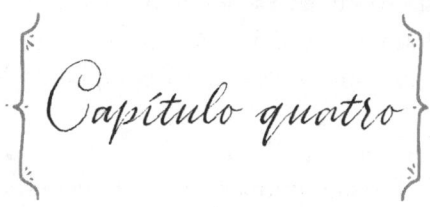

## Capítulo quatro

Em casa, Alexandra desenrolou-se do paletó do Sr. Reynaud e pendurou-o num gancho. Era provável que ela tivesse arruinado a peça. O paletó tinha um aroma delicioso de menta e sândalo quando Reynaud o colocou em seus ombros. Agora ele fedia ao rio Tâmisa.

Após tomar banho e vestir roupa de baixo e vestido limpos, ela seguiu o cheiro de biscoitos recém-assados até a cozinha. Graças aos céus por Nicola.

Ela se sentou à mesa e apoiou a cabeça nos braços dobrados.

– Oi, Nic.

Nicola tirou uma assadeira de biscoitos do forno. Um vapor cítrico e doce permeou a cozinha.

– Minha nossa, o dia já acabou?

– Acabou, eu receio. – E que dia tinha sido. Alex levantou a cabeça. – Você lembra do Mulherengo da Livraria?

– O Mulherengo da Livraria? – Nicola franziu o cenho. – Não é um poema ou limerique, é? Sou péssima nisso.

– Não, é um homem. Nós o encontramos na Hatchard's, no outono. Eu estava segurando uma pilha de livros seus num braço enquanto lia um com a mão livre. Eu e ele trombamos. Fiquei aturdida, derrubei tudo. Ele me ajudou a recolher os livros.

Nicola empilhou os biscoitos num prato e o levou até a mesa, colocando-o entre as duas.

– Alto – Alex continuou. – Cabelo castanho, olhos verdes, bem-vestido. Atraente. Paquerador. Nós todas concluímos que devia ser um mulherengo terrível. – E não *sabíamos da missa a metade*. – Penny ficou me atormentando durante *meses*. Você deve se lembrar.

Nicola se sentou numa cadeira, pensativa.

– Acho que me lembro. Eu estava comprando livros de História Natural?

– Culinária e Arquitetura Romana.

– Oh. Hum. – Biscoito numa mão, livro na outra, Nicola já estava absorta em outros pensamentos.

Alexandra pegou um biscoito e, resignada, deu uma mordida. Essa era a Nicola. Ela se desfazia de informações inúteis como se fossem lastro. Alex imaginou que era porque ela precisava do espaço no cérebro para mais fatos e teorias. E poder criar suas próprias ideias.

Quando Nicola se concentrava, deixava de lado todo o resto. Ela conseguia ignorar a passagem de horas e dias, o cheiro de bolos queimados vindo da cozinha ou o alarido de vinte e três...

*Cuco! Cuco!*

Vinte e três relógios.

E assim começou. O badalar, tocar, gorjear e repicar de relógios que ficavam em pé, nas paredes, e até dançavam em todos os cantos da casa.

Alexandra não podia reclamar do barulho. Os relógios de Nicola eram o único motivo de ela poder morar em um lugar como a Praça Bloom. Em troca de um quarto na casa que sua amiga herdou no elegante bairro de Mayfair, Alex fornecia seus serviços de relojoeira. A algazarra era bem alta quando todos tocavam em uníssono... mas se perdessem a sincronia, o barulho podia durar horas.

Depois que o último badalo ecoou, Alexandra falou para qualquer parte da atenção dividida de sua amiga.

– Ele me ofereceu um emprego. O Mulherengo da Livraria.

– O Mulherengo da Livraria? – Lady Penelope Campion irrompeu pela porta da cozinha, corada e sem fôlego, segurando um saco de ráfia com um braço e apertando um cobertor dobrado junto ao peito com o outro. – Ouvi você falar do Mulherengo da Livraria?

Com um gemido suave, Alex deitou a cabeça na mesa outra vez.

– Oh, Alexandra. – Penny largou o saco de farinha, sentou ao lado dela e segurou o braço da amiga. – Vocês se encontraram, afinal. Sabia que se encontrariam.

– Não foi assim. Nem de longe.

– Você vai me contar tudo. Ele é tão lindo como pareceu na Hatchard's?

– Por favor, Penny. Eu imploro. Escute-me antes de começar a sonhar com nomes para nossos filhos.

– Oh! – Penny estalou os dedos. – Quase esqueci o motivo da minha visita. É o carrinho do Bixby. Ele estava perseguindo os gansinhos e o eixo saiu do lugar. – Ao ouvir seu nome, o *rat terrier* esticou a cabeça para fora do cobertor. Penny riu e fez festa para ele. – Que malandrinho você é. Se tivesse as quatro patas, não sei o que faria com você.

Nicola enfiou a mão no saco de ráfia e retirou um aparelho – uma carrocinha que ela tinha adaptado para ser usada no lugar das patas traseiras de Bixby. Ela a virou para inspecionar o eixo.

– Só vai demorar um instante – disse Nicola.

– Pronto. Alex, você estava dizendo...?

– Alex estava dizendo que ele ofereceu trabalho para ela. – Nicola pegou sua pequena caixa de ferramentas e revirou os alicates e chaves. – Só isso.

– É claro que ele lhe ofereceu trabalho – Penny disse. – Como pretexto. Assim ele pode vê-la uma vez por semana. Ele está encantado por ela.

Alex apoiou as duas mãos na mesa.

– Se vocês vão inventar sua própria história, eu posso ir para a cama.

– Não, não. – Penny deu um biscoito para Bixby. – Estamos escutando.

Alexandra se serviu de uma xícara de chá e começou do início. Quando ela chegou ao fim da história, o prato de biscoitos tinha sido devorado até só restarem migalhas, e Bixby corria em círculos ao redor da mesa com ajuda de sua carrocinha.

– Ele correu atrás de você e lhe deu o paletó. – Penny suspirou. – Que romântico.

– Romântico? – Nicola fez uma careta. – Você não ouviu a parte em que ele mantém duas garotinhas trancadas no sótão e dá apenas migalhas secas para elas comerem?

– Claro que não – Penny retrucou. – Essa é mais uma razão para aceitar. Pense no quanto essas garotinhas órfãs precisam dela.

Alex massageou as têmporas. Como ela sentia saudade de Emma. Ela adorava as três amigas, mas Emma era a que mais a entendia dentre elas. Uma ex-costureira, ela também já teve que trabalhar para se sustentar. No momento, contudo, Emma e sua barriga muito grávida estavam felizes em seu retiro na casa de campo.

Nicola emitiu um som de reprovação.

– Alex, não acredito que você aceitou o emprego.

– Não podia recusar. Ele me ofereceu uma quantia astronômica. Vou ganhar mais em dois meses do que eu poderia só sonhar em receber em dois anos de relojoeira. Além do mais, depois do que aconteceu na doca, eu não tinha escolha.

– É claro que tinha escolha. Você podia ter pedido ajuda às suas amigas – Penny disse. – Nós sempre estaremos do seu lado quando você precisar.

– Nós poderíamos ter juntado dinheiro para substituir seu cronômetro. – Nicola levantou os olhos do que fazia. – E você pode morar comigo o tempo que quiser.

– Vocês são uns amores. Mas e se me emprestassem um dinheiro que eu não conseguisse pagar? – Ela se virou para Nicola. – E se você decidir casar e seu marido não quiser uma solteirona na casa?

– Eu, casar. – Nicola riu. – Que piada.

– Não é, não – Penny protestou. – É bem provável que um cavalheiro elegante se apaixone por você e a peça em casamento.

– Mas eu aceitaria? Essa é a questão.

Alexandra ficou grata de o foco da conversa ter se voltado para Nicola. O risco que ela estava assumindo era tão enorme que nem conseguia imaginar. Um floco de neve não consegue contemplar o verão. Se ela fracassasse nesse emprego, poderia perder qualquer condição de se sustentar depois. E por mais que adorasse suas amigas, Alex ansiava ter sua própria casa.

Um lar.

Mesmo uma cabaninha no interior serviria muito bem, desde que fosse dela. Ela desejava sentir terra de verdade embaixo dos pés e enfiar os dedos no solo como raízes. Alex não aguentava mais ficar à sorte das marés.

Contudo, seu plano exigia dinheiro. Uma grande quantia de dinheiro. Ela vasculhava os jornais à procura de cabanas para alugar e anotava minuciosamente os aluguéis. Ela esboçou um orçamento e então calculou o total que precisaria ter no banco para que pudesse viver de juros.

Quatrocentas libras.

Em três anos ela tinha conseguido poupar 57.

Agora, ela tinha a chance de embolsar 250 libras até o início do outono. Por essa quantia ela limparia estrume dos estábulos do mercado durante o verão. Nua.

– Tenho que subir e fazer as malas. Prometi começar amanhã de manhã.

– Cuidado com ele, Alex – Nicola disse. – Se for mesmo um mulherengo, como você diz.

– Pode acreditar que não há nada a temer. Ele não está interessado em mim. Ele nem lembrava de termos nos encontrado antes. Parece que eu sou bem esquecível.

– Pare. – Penny segurou a mão de Alex. – Não quero ouvir esse tipo de coisa. Você não é esquecível.

A querida e doce Penny, com o coração aberto para criaturas perdidas e defeituosas. Sem dúvida ela lembrava o nome e a personalidade de cada camundongo que vivia no armário. Mas a maioria das pessoas não era como Penny, e essa não era a primeira vez que Alexandra se enchia de esperança, só para ficar decepcionada.

– Não importa se ele lembra de mim ou não. Eu vou cuidar é das pupilas dele. Mal irei vê-lo.

– Ah, mas você irá vê-lo – Penny disse. – Principalmente se ficar andando pela casa à noite. Tente a biblioteca primeiro.

– Tranque-se no seu quarto – Nicola retrucou. – Vou fazer um ferrolho para você.

– Parem, vocês duas. Apenas aceitei um trabalho bem-remunerado durante o verão. Até ontem eu era uma relojoeira. Amanhã começo como aia. Não é romântico. Não é perigoso. É trabalho.

– Você não precisa ser sensata o tempo *todo* – Penny disse.

Era fácil para ela dizer, uma lady com sua própria casa e renda de mil libras por ano. Talvez Penny e Nicola não precisassem ser sensatas o tempo todo, mas Alexandra, sim. Ela não podia se dar o luxo de se apaixonar.

Felizmente, não havia mais chance de isso acontecer. Não importava que ele já tivesse enfeitiçado todas as outras mulheres de Londres. Alex era sensata. Agora que ela tinha testemunhado o caráter sem-vergonha dele, Chase Reynaud tinha perdido todo o apelo. Ela nunca mais se sentiria atraída por ele.

Nem por seu sorriso.

Nem por seus olhos.

E, com toda certeza, não por seu peito nu.

Nem por sua voz, seus antebraços, sua inteligência, seu charme ou seus pés grandes.

E também não por seu paletó quente, de cheiro delicioso.

*Oh, Alex. Você está perdida.*

{ *Capítulo cinco* }

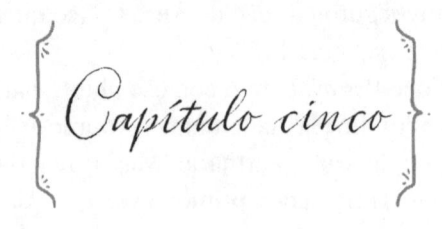

Alexandra apareceu para trabalhar na manhã seguinte. Dessa vez, ela sabia que deveria bater na porta da frente. E, para seu profundo alívio, a governanta atendeu.

A Sra. Greeley a examinou de alto a baixo.

– Pensei que você fosse a garota que acertava os relógios.

– Eu era – Alexandra respondeu. – Parece que agora sou a aia.

– Humpf. Até o fim do dia você vai ser de novo a garota que acerta os relógios. – Ela acenou para que Alex a acompanhasse até a escada. – Venha, então. Vou lhe mostrar o quarto das crianças. Vou pedir para Jane preparar um quarto para você, e Thomas logo vai levar seus baús para cima.

Alex desconfiou que Jane e Thomas iriam esperar para ver se ela durava a manhã toda antes de se darem o trabalho.

Dessa vez, quando entrou no quarto das crianças, Alex não se deparou com outra cena de assassinato. Graças a Deus. Ela teve, então, a chance de examinar o ambiente – e o que ela viu a deixou sem fôlego.

O quarto era um reino encantado. Todo decorado em branco e tons pastéis de amarelo e rosa. Como a vitrine de uma casa de doces. Lambris brancos revestiam a metade inferior do quarto, e aqui e ali, gavinhas de hera pintadas subiam pelas paredes azul-celeste. Não havia escassez de brinquedos no quarto. Alex viu cavalinhos de balanço, jogos de chá em miniatura e marionetes. Um banco estofado tinha sido instalado junto à janela, debaixo do beiral, e abaixo dele havia uma prateleira que transbordava de livros.

Considerando a pintura recente e a qualidade luxuosa dos acabamentos, ela deduziu duas coisas: primeiro, o quarto tinha sido reformado às pressas para as duas garotas. Segundo, nenhuma despesa foi poupada.

– Aquela é Rosamund. – A governanta apontou para a garota mais velha.

Rosamund estava lendo um livro no banco da janela. Ela não olhou para Alex.

– E a outra é Daisy – disse a Sra. Greeley.

Daisy, pelo menos, cumprimentou-a, fazendo uma mesura. Seus olhos, azul-claros e grandes como xelins, eram absolutamente perturbadores. Em seus braços, ela embalava uma boneca. Uma bem cara, com a cabeça entalhada em madeira, recoberta de gesso e pintada com bochechas rosadas e lábios vermelhos.

Alexandra atravessou o quarto até chegar perto de Daisy.

– Estou muito feliz de conhecer você, Daisy. Esta deve ser a Millicent.

Daisy recuou um passo.

– Não se aproxime muito. Ela tem tuberculose.

– Tuberculose? Que pena. Mas não tenho dúvida de que você irá cuidar dela e fazer com que Millicent se recupere.

A garota meneou a cabeça com gravidade.

– Ela estará morta amanhã de manhã.

– Acredito que ela não vai...

– Ah, mas vai – Rosamund disse com rispidez, falando do assento da janela. – É melhor preparar algumas palavras.

– Preparar algumas palavras para quê?

Sem mover os lábios, Daisy deu umas tossidas secas.

– Millicent precisa de silêncio.

– Sim, é claro que precisa. Sabe qual o melhor remédio para tuberculose? Ar fresco e sol. Um passeio pelo parque vai fazer muito bem a ela.

– Nada de passeios – declarou a Sra. Greeley. – Elas precisam se concentrar nos estudos. O Sr. Reynaud foi muito claro.

– Oh. Muito bem, então. Talvez nós possamos animar Millicent de outro modo. – Ela refletiu por um instante. – Quem sabe chá com leite e açúcar e um prato de pudim. O que você acha, Daisy? Vamos tentar?

– Nada de pudim – a Sra. Greeley disse.

– Elas também não podem comer pudim?

– É culpa da Daisy – Rosamund explicou. – Ela deu uma gripe terrível à Millicent, e usou o pudim como catarro.

Daisy chiou alto, pedindo silêncio e apertando a boneca contra o peito.

– Por favor, deixem que ela tenha um pouco de paz em suas últimas horas.

– Não vou perturbar sua paz se você não perturbar a minha – Rosamund disse. – Você sabe que não pode me acordar no meio da noite com tosse e chiado.

Como tinha conseguido a atenção de Rosamund, Alex decidiu tentar com ela.

– O que você está lendo?

– Um livro. – Ela virou uma página.

– É um livro de história?

– Não, é um livro de conselhos práticos. *Como torturar sua aia em dez passos simples.*

– Ela deve estar escrevendo o segundo volume – murmurou a Sra. Greeley. – A cozinheira vai mandar seu almoço ao meio-dia.

A governanta desapareceu, deixando Alexandra a sós com as duas pupilas. Seu estômago palpitava de nervoso.

Calma, ela disse para si mesma. Rosamund e Daisy eram apenas garotinhas, afinal. Garotinhas que tinham ficado órfãs e passado de casa em casa, de tutor para tutor. Se recebiam uma aia recém-chegada com desconfiança, era natural. Na verdade, era sensato. Alex também tinha sido órfã. Ela compreendia. Era necessário tempo para se ganhar confiança.

– Não vamos ter nenhuma aula hoje – ela anunciou.

– Nenhuma aula? – Rosamund levantou a sobrancelha atrás do livro. – O que nós vamos fazer o dia todo?

– Bem, *eu* pretendo me familiarizar com a sala de aula, depois, quem sabe, escrever uma carta ou ler um livro. *Vocês* é que vão decidir como passar o dia.

– Então você pretende enganar nosso tutor recebendo seus salários enquanto nos deixa fazer o que queremos? – a garota perguntou. – Eu aprovo.

– Essa não é minha intenção, mas nós temos o verão todo para estudar. É claro que, se vocês quiserem começar hoje, eu posso...

Rosamund voltou-se para o livro.

Alex ficou aliviada. A verdade era que ela não sabia por onde começar. Ser uma aia não tinha parecido tão difícil na noite anterior – afinal, ela era instruída –, mas agora que estava ali, Alex se sentia perdida.

Com as garotas ocupadas, Alex examinou o entorno. Um lado do ambiente tinha sido designado como sala de aula, tendo sido mobiliado com o mesmo cuidado e atenção que o restante do quarto das crianças. Duas carteiras adequadas ao tamanho das crianças, uma mesa para adulto com tampo amplo e reto e uma lousa do tamanho de um lençol de cama pendurada na parede. Na lousa, em escrita caprichada, alguém tinha desenhado as seguintes palavras:

*Letras*
*Números*
*Geografia*
*Comportamento*
*Bordado*

Alex se aproximou de um mapa afixado na parede. Os continente estavam salpicados com tachinhas em ordem aparentemente aleatória. Malta, Finlândia, Timbuctu, uma ilhota no Oceano Índico, o Deserto do Saara.

Daisy apareceu ao seu lado.

– Sr. Reynaud diz que vai nos mandar para um internato num desses lugares.

Alex considerou as opções.

– Bem, se eu fosse vocês, escolheria Malta num piscar de olhos. É um lugar lindo. Rodeado por mares azul-celeste.

– Você já esteve em Malta?

– Já estive em muitos lugares. Meu pai era capitão de navio. – Alex rearranjou as tachas, fixando-as em conhecidos portos comerciais. – Macau. Lima. Lisboa. Bombaim. E eu nasci perto daqui. – Ela pregou a última tacha.

– Que lugar é esse?

– Leia você mesma.

Daisy deu uma olhada por sobre o ombro, depois sussurrou:

– Eu não sei.

– Ma-ni-la. – Alex escandiu as sílabas para a garota. – É um porto nas Filipinas.

Tinha 7 anos de idade e ainda não sabia ler. Oh, céus.

– Daisy, não sei se nós temos lápis e giz suficiente. Você me ajuda a contar o que temos?

– Eu...

– Daisy – Rosamund interrompeu abruptamente. – Acho que ouvi Millicent tossir.

Quando a irmã foi cuidar de sua paciente, Rosamund fixou um olhar determinado e inconfundível em Alex: *Fique longe da minha irmã.*

O entusiasmo de Alex sofreu um baque. O desafio diante dela já era amedrontador. Ela não tinha experiência como aia, a mais nova das duas pupilas ainda não tinha aprendido a ler e seu patrão seria completamente inútil.

Contudo, estava claro que seu obstáculo mais formidável, em toda essa empreitada, estaria na figura de uma garotinha de 10 anos desconfiada e teimosa.

Então, a guerra da força de vontade começava ali.

Se não desejava ir embora daquela casa sem um tostão, era uma guerra que Alexandra precisava vencer.

## Capítulo seis

Naquela noite, Chase ficou parado em frente à porta do quarto da aia, travando uma batalha feroz contra a tentação.

Ele tinha parado ali com o mais inocente dos motivos. Pretendia verificar se ela estava bem instalada e garantir que as acomodações eram agradáveis.

O que ele estava fazendo, contudo, era admirar o belo e redondo traseiro dela.

Não era como se pretendesse ficar babando na aia. Chase não era um velho perverso que ficava espiando por um buraco no armário. Com a porta do quarto aberta, Alex estava de costas para ele e não tinha notado sua presença – provavelmente porque se debruçava sobre o maldito telescópio.

E, assim, lá estava ela, apresentada à apreciação dele. Um traseiro que parecia um pêssego delicioso. Com curvas mais generosas do que ele teria suposto, dada a figura esbelta dela.

Aos lados do corpo, as mãos dele instintivamente se curvaram, estimando o tamanho e a maciez.

*Chase, seu bastardo desprezível.*

Ele sacudiu as mãos e pigarreou.

– Srta. Mountbatten?

Assustada, ela se endireitou e se virou para ele.

– Sr. Reynaud.

– Então, está gostando do que vê?

– Se eu gosto do que eu...?

Os olhos dela passearam pelo patrão. Em traje de noite, ele só poderia imaginar o quanto estava diferente da figura que ela conheceu no primeiro encontro dos dois. Tinha se banhado e barbeado, e até seu deu o trabalho de abotoar os punhos da camisa.

– Eu... é... – ela gaguejou. – Quero dizer, eu imaginava que...

– O quarto – ele disse. – É satisfatório?

– Oh, isso – ela disse, aliviada. – Sim, obrigada. Muito obrigada. Eu não esperava ter um quarto tão espaçoso.

– Normalmente, a Sra. Greeley dá para as aias um quarto perto das crianças, mas eu disse para ela que você precisava da maior janela com uma vista desimpedida do céu. Vou mandar uma criada ajudá-la a desfazer suas malas.

– Já arrumei minhas coisas – ela respondeu, parecendo constrangida. – Só trouxe um baú.

– Oh. Sim, é claro. – Ele foi até o telescópio e observou a disposição deste em relação à janela. – Tem espaço lá fora para uma varanda estreita. Vou mandar fazer o projeto de uma plataforma com cercas esta semana.

– É muita generosidade sua.

– Nada disso. É puro interesse próprio. Se estiver satisfeita com suas acomodações, é menos provável que queira ir embora. – Ele se curvou e olhou pela ocular do telescópio. – Por que quis isto? Não consigo conter a curiosidade.

– Bem, nosso arranjo é temporário. No fim do verão vou precisar de uma nova ocupação.

– Pensei que voltaria a arrumar relógios.

Ela meneou a cabeça.

– Estou planejando um novo empreendimento. Em vez de vender o tempo, vou começar a vender cometas.

– Vender cometas? – Ele deu uma risada. – Oh, preciso saber como é isso. Por favor, diga: como você pretende capturá-los?

– Os aristocratas são absolutamente malucos por cometas, mas a maioria não tem tempo nem interesse para fazer esse trabalho. Eu vou vasculhar os céus e mapear as observações. Então vou encontrar um cliente que me pague pelo esforço.

– Então você vai encontrar o cometa e esse cliente vai dizer que a descoberta é dele? Parece-me extremamente injusto.

– Meu interesse nisso não é glória. Uma mulher da minha condição social tem que ser pragmática.

– Assim, você pretende ser uma mercenária astronômica. Estou impressionado.

Ela deu um sorrisinho.

– Você faz esse trabalho parecer empolgante. Mas é um tédio. É necessário vasculhar o céu, um setor escuro de cada vez, à procura de algo borrado.

– Borrado? Esse é um verdadeiro termo científico.

– Vou lhe mostrar um exemplo, se quiser.

Alex se juntou a ele na pequena alcova da janela e se curvou para ajustar o telescópio, concedendo-lhe, caso ele aceitasse, uma vista para dentro do decote de seu vestido. Chase desviou o olhar, mas não rápido o bastante. Aquela fração de segundo em que avistou duas orbes celestialmente perfeitas de carne macia, feminina, iria ficar gravada em sua memória.

Precisando de uma distração, ele passou os olhos pelo quarto – o que, a seu próprio modo, também foi revelador.

Aquela era a totalidade das posses dela? O quarto permanecia vazio em sua maior parte, a não ser por um conjunto de itens básicos de higiene no lavatório, uma fileira de livros e material para escrever na mesa de canto e alguns artigos de vestuário pendurados em cabides. Na parede acima da mesa, ela tinha afixado itens recortados de jornais e revistas. Um mapa das constelações, um cartão com uma ilustração comemorando a passagem do cometa Halley, em 1759, e alguns anúncios pequenos que ele precisou fazer força para ler à distância. No alto de um, Chase conseguiu identificar as palavras "Aluga-se cabana".

– Aqui está. Pode olhar, se quiser. – Ela acenou para que ele olhasse pela ocular.

Chase se curvou, desajeitado, fechou um olho e espiou pelo tubo de metal. Sua recompensa foi uma mancha de luz borrada, sem nada de extraordinária.

– Parece que sou um astrônomo nato. Posso declarar com certeza – ele apertou os olhos – que isso é uma coisa celeste borrada. Imagino que em breve irei receber minha medalha da Sociedade Astronômica Real.

– Isso não é um cometa. A maioria dos borrões não é. Antes de declarar uma nova descoberta, você tem que descartar as outras possibilidades. Felizmente, outros astrônomos já fizeram boa parte desse trabalho. Existe um livro escrito por um francês, Charles Messier. Ele catalogou muitos dos borrões "não cometas", então os caçadores de cometas sabem que devem ignorá-los. – Ela foi pegar um folheto na mesa e virou algumas páginas para que Chase visse.

– Você disse um livro. Isso não é um livro.

– Não consegui encontrar um exemplar que eu pudesse pagar – ela admitiu. – Então peguei emprestado de uma biblioteca circulante e copiei estas páginas a mão. Após consultar o Messier, o astrônomo deve conferir seu objeto em uma lista de cometas identificados. Se não estiver nessa lista, você pode comunicar seu borrão para o Observatório Real, para verificação. Mesmo assim, nove em cada dez já terão sido reclamados.

– Se os borrões não são cometas, o que são?

– Nebulosas, na maioria. Ou aglomerados de estrelas.

– Receio que você vai ter que definir essas coisas se quiser que eu tenha alguma ideia do que está dizendo. Ou então, você pode apenas continuar falando enquanto eu observo o lóbulo de sua orelha.

Ela corou.

– Não precisa se incomodar.

– Não é incômodo. – Ele cruzou os braços e se apoiou na moldura da janela. – Sou um verdadeiro *connoisseur* de lóbulos, e o seu é bem bonito.

– Quero dizer que não precisa fingir estar interessado em Astronomia, Sr. Reynaud. É evidente que você tem um compromisso esta noite e não quero atrasá-lo.

– Não estou fingindo. Estou achando esta conversa fascinante, embora eu esteja perdendo boa parte dela.

Chase estava achando Alexandra Mountbatten fascinante, e não queria perder nada dela. Ele não tinha nenhum interesse em observar o céu, mas sentia-se fascinado pela experiência de observar a Srta. Mountbatten observando o céu. A figura e o lóbulo dela eram só metade da explicação.

Parado assim tão perto, ele conseguia detectar o toque mais delicado de água de laranjeira nela. Não o bastante para classificar como perfume. Apenas a sugestão de que ela tinha aromatizado a água do banho com umas poucas gotas. Uma quantidade cuidadosamente equilibrada entre a satisfação de um pequeno prazer feminino e a economia necessária para fazer um frasco pequeno durar meses.

Um pingente pequeno, em forma de cruz formada por contas, pendurava-se no pescoço dela por meio de uma fita estreita de cetim, longa o suficiente para que as contas de coral se aninhassem na base de seu pescoço. Mais uma vez, o equilíbrio entre beleza e pragmatismo. A fita da melhor qualidade que ela podia comprar, comprada na menor extensão possível.

Diabos, seria uma delícia mimá-la. Se a Srta. Mountbatten não fosse sua empregada, ele poderia cobri-la de presentes luxuosos. Fazer sumirem as pequenas preocupações que ficavam entre ela e o céu.

– Continue – ele disse. – Estou ouvindo. – *E olhando. E reparando.*

– Nebulosas são nuvens de poeira estelar flutuando no espaço – ela explicou. – Aglomerados de estrelas são exatamente isso. Estrelas que parecem tão próximas no céu, que às vezes são confundidas como sendo apenas um objeto. Meu borrão favorito, contudo, não é uma nebulosa nem um aglomerado. É o número quarenta de Messier. Uma estrela dupla. Talvez até uma estrela binária.

– Oh, é mesmo? – Com isso, ele voltou ao lóbulo dela.

Ela se dobrou para espiar pela ocular.

– Uma estrela binária é criada quando duas estrelas são atraídas uma pela outra. Quando chegam perto o bastante, nenhuma delas pode resistir à atração da outra. E ficam presas para sempre, destinadas a passar a eternidade rodopiando uma ao redor da outra, como... como um casal numa valsa, eu imagino. – Ela fez uma anotação em seu caderno. – O fascinante é que o centro de gravidade do sistema binário não está em nenhuma das estrelas, mas no espaço vazio entre elas.

Ele ficou em silêncio por um instante.

– Caramba. Você estava certa em me repreender por desperdiçar este instrumento.

– Fico feliz que agora veja o valor dele.

– Com certeza. E pensar que eu poderia estar usando o telescópio para seduzir mulheres esse tempo todo. – Ao olhar severo dela, Chase respondeu: – Ora, vamos. Todo esse negócio de estrelas dançando? É muito romântico.

– Eu nunca diria que você é um romântico.

– Acho que foi toda essa conversa sobre a grandeza do universo. Faz um homem se sentir pequeno e insignificante. E *isso* faz um homem querer agarrar a mulher que estiver mais perto e provar o contrário para si mesmo.

Os olhares deles se encontraram e ambos ficaram muito cientes do óbvio.

Ela era a mulher que estava mais perto.

Ele não iria – de modo algum – seduzir sua aia. Sim, ele era um mulherengo. Mas, para um cavalheiro, ir atrás das empregadas da casa não era comportamento de mulherengo. Era algo repulsivo.

– As crianças – ele soltou, quebrando a tensão. – Como foi seu primeiro dia?

– Desafiador.

– Não duvido.

– Você sabe me dizer algo sobre os interesses ou a educação delas? Qualquer coisa?

– Elas tiveram pouca educação formal, mas, apesar disso, são inteligentes demais. Seus interesses são travessuras, doenças, pequenos furtos e planejar crimes contra a criadagem da casa.

Ela soltou uma risada.

– Você fala como se elas fossem grandes criminosas.

– Estão a caminho de se tornar. Mas agora você está aqui para colocá-las na linha. Tenho muita fé em você, Srta. Mountbatten. – Ele deu tapinhas no ombro dela. – Testemunhei seu talento nato de disciplinadora.

Ela se encolheu.

– Sim, a respeito disso...

– Se está pretendendo se desculpar, não o faça. Mereço mesmo toda sua reprovação, e mais um pouco. Gostaria de dizer que você me viu no meu pior momento, mas isso não seria verdade nem de longe. Contudo, eu gostaria de dizer uma coisa.

– Pois não?

A Srta. Mountbatten lhe deu sua atenção plena – e ela tinha uma quantia intimidante de atenção para dar. Era natural, ele imaginou. Ali estava uma mulher disposta a encarar o vazio escuro noite após noite, na esperança de um dia avistar uma pequena mancha brilhante. Enquanto ela o observava, Chase se pegou desejando poder recompensar essa observação.

*Aqui só tem escuridão, querida. Não desperdice seu tempo.*

– Se a minha reputação a preocupa – ele disse, tanto para ela como para si mesmo –, não é necessário. Seduzir você nunca passaria pela minha cabeça.

Ela concordou com a cabeça.

– Obrigada pela promessa, Sr. Reynaud. Fico muito agradecida, mesmo.

## Capítulo sete

*Seduzir você nunca passaria pela minha cabeça.*

Que lembrete perfeitamente oportuno. Sério, o homem tinha uma capacidade de murchar a autoestima de Alexandra até transformá-la em uma uva-passa. Num momento ele a escutava tagarelar sobre cometas, prestando atenção em suas palavras e elogiando o lóbulo de sua orelha. No momento seguinte, ele ia embora deixando-a com algumas palavras para lembrá-la que era uma tola.

Bordado não era um de seus passatempos favoritos, mas Alex planejava bordar aquelas palavras num pano e pendurá-lo sobre a cabeceira de sua cama:

*Seduzir você nunca passaria pela minha cabeça.*
*— Sr. Charles Reynaud, 1817*

Ela não duvidava mais da popularidade dele com as mulheres. Um charme diabólico simplesmente irradiava dele, como uma das forças essenciais da natureza. Gravidade, magnetismo, eletricidade... e o encanto masculino de Chase Reynaud.

Seus sorrisos enviesados, as palavras provocadoras e graves faziam com que um arrepio de empolgação deslizasse pela pele dela. Se fosse apenas isso, não seria um problema. Mas então o cérebro dela pegava todas essas sensações e enrolava-as numa bola que guardava em uma prateleira. Como se essa massa trêmula de reações femininas fosse algo que merecesse ocupar espaço. Como se precisasse de um nome.

Bem, Alexandra tinha um nome para ela nesse momento.

I-D-I-O-T-I-C-E.

Ela ouviu o ranger de uma porta na rua e cedeu à tentação de olhar pela janela. Ali estava o Sr. Reynaud, esperando na calçada com seu imaculado casaco preto feito sob medida. Ele puxou os punhos da camisa e passou uma mão pelo cabelo castanho. Uma parelha de cavalos baios veio do estábulo puxando uma elegante carruagem pintada de azul, e o cavalariço lhe entregou as rédeas.

E lá foi ele passar a noite apreciando a companhia de outras pessoas. E ali ficou Alex, sonhando com ele como uma tola.

Ela se preparou para dormir e apagou a vela. E então ficou acordada tempo demais esperando pelo som de uma carruagem voltando para casa, ou pelo rangido de uma porta. Não que fosse da conta dela a hora que ele voltaria para casa, ou se voltaria.

⭐

Ela deve ter caído no sono em algum momento, porque acordou com a sensação de alguém estar cutucando seu braço.

Insistentemente.

Alex entreabriu os olhos.

— Rosamund? É você?

— Ela está morta.

Então Alex acordou. Ela sentou na cama com um pulo.

— Morta?

— Millicent. A tuberculose a levou durante a noite.

*A boneca.* Ela falava da boneca.

— Você me assustou. — Alex levou a mão ao peito. Talvez seu coração voltasse ao ritmo normal dentro de um ou dois dias.

— O funeral está preparado. Esperamos por você no nosso quarto.

*Funeral?*

Rosamund se foi antes que Alex pudesse fazer mais perguntas. Ela levantou da cama e se vestiu com pressa. Dadas sua desorientação no quarto novo e a forma abrupta como foi acordada, não se saiu muito bem. Depois de duas tentativas, Alex decidiu que poderia sobreviver com botões desalinhados naquele momento e que três passadas de escova no cabelo teriam que ser suficientes. Segurando alguns grampos de cabelo nos dentes, ela saiu para o corredor, prendendo o cabelo num nó enquanto andava.

Alex esperava que o código de vestimenta nesse funeral não fosse formal demais. Ela tinha acabado de prender o segundo grampo em seu coque apressado quando entrou no quarto das meninas. Millicent jazia no centro da cama, com seu olhar inexpressivo sob a mortalha. As garotas estavam uma de cada lado. Daisy usava um retalho de renda preta como véu sobre a cabeça.

Alex precisou fazer muita força para não soltar uma gargalhada. Se não por qualquer outra razão, porque fazer isso poderia lançar como projéteis os grampos remanescentes em sua boca. Ela terminou o penteado, ficou séria e se aproximou da cama.

– O que acontece agora? – ela sussurrou para Rosamund.

– Estamos esperando...

Uma voz masculina murmurou no quarto.

– Que tragédia, minhas mais sinceras condolências. Uma perda lamentável.

O Sr. Reynaud se juntou ao grupo.

Alex lançou na direção dele um olhar cauteloso. Ele vestia o mesmo casaco e calçava as mesmas botas pretas que usava na noite anterior. Seus punhos estavam abertos, contudo, e sua gravata tinha sumido.

Era provável que estivesse pendurada na galhada de algum cervo.

Ele se aproximou de Daisy e fez uma profunda reverência de condolências, depois estendeu o braço para que ela pudesse prender algo ali.

Uma faixa preta.

Ela se lembrou do que ele tinha dito alguns dias antes. *Millicent é a boneca de Daisy. A menina mata a coisa uma vez por dia, no mínimo.*

Então era por isso que ele estava usando a faixa preta no braço, alguns dias atrás, quando conduziu aquela farsa de entrevista em seu retiro de nem-de-longe-cavalheiro. Ele não estava de luto. Pelo menos, não por um ser humano. Talvez ela não devesse tê-lo julgado com tanta severidade.

O Sr. Reynaud se curvou para dar um beijo na testa pintada de Millicent.

– Que Deus abençoe sua alma. Ela parece estar dormindo. Ou acordada. Ou fazendo qualquer outra coisa, na verdade.

A boca de Alex tentou se abrir num sorriso, mas ela curvou a cabeça e tentou parecer desolada.

– Vamos começar – Daisy disse, solene.

Eles formaram um semicírculo ao pé da cama. Rosamund se colocou do lado direito de Daisy. O Sr. Reynaud assumiu aquele que era evidentemente seu lugar habitual, à esquerda de Daisy – o que o colocou ao lado de Alexandra.

Alex não quis pensar em onde ele esteve desde a última vez em que o viu, mas seus sentidos não lhe deram escolha. Ao inalar, sentiu o cheiro de conhaque e sândalo, e indícios de que ele tinha passado por uma nuvem de fumaça de charuto. Não detectou nenhum vestígio de perfume feminino. Isso não deveria ser um alívio, mas foi.

Ela fitou o pilar da cama e se concentrou na tragédia.

– Sr. Reynaud, gostaria de fazer a gentileza de dizer algumas palavras? – Daisy perguntou.

– Mas é claro. – Ele juntou as mãos e entoou numa voz baixa e grave: – Pai Todo-Poderoso, estamos reunidos aqui, hoje, para encomendar aos seus cuidados a alma de Millicent Fairfax.

Daisy o cutucou com o cotovelo.

– Millicent Annabelle Chrysanthemum Genevieve Fairfax – ele corrigiu.

Alexandra mordeu a bochecha por dentro. Quanto tempo alguém conseguia se manter sério em meio àquilo?

– Ela será lembrada como companheira fiel. Nunca existiu amiga mais verdadeira. Nem uma única vez ela se afastou de Daisy... exceto quando rolou para fora da cama.

Oh, por caridade. Alex estava a ponto de rir. Ela sabia. Morder a bochecha para se conter não estava ajudando.

Talvez ela conseguisse disfarçar a gargalhada com uma tosse. Afinal, tuberculose era contagiosa.

– Que a compostura de Millicent diante da morte certa seja uma inspiração para todos nós. Os olhos dela permaneceram fixos no céu, e não só porque não tinha pálpebras para fechá-los.

Alex deu um olhar de súplica para ele, mas o pegou olhando para ela com uma expressão marota. O Sr. Reynaud *queria* que ela risse, aquele homem terrível. Então, bem quando ela pensou que tudo estava perdido, ele pegou sua mão, entrelaçando-lhe os dedos num nó apertado.

Alex não estava mais preocupada que pudesse rir.

Porque seu coração ficou apertado.

Do outro lado do Sr. Reynaud, Daisy apertou a mão de seu tutor. Em seguida, ofereceu sua mão livre para Rosamund. Os quatro formaram assim uma corrente, e Alex entendeu a verdade. Ali estavam três pessoas que precisavam desesperadamente uma da outra – e talvez até mesmo se amassem –, mas preferiam contrair tuberculose a admitir isso.

Daisy curvou a cabeça coberta.

– Vamos rezar.

Alex balbuciou o "Pai Nosso", hesitante. A mão dele era tão quente e firme. Seu anel de sinete pressionava o terceiro e o quarto dedos dela. A sensação era de tanta intimidade. O modo como eles estavam de mãos dadas, as cabeças curvadas em oração, parecia menos um funeral e mais...

Mais um casamento.

Não, não, não.

O que havia de errado com ela? Alex não tinha aprendido nada naqueles meses de fantasias bobocas? Todas aquelas tolices estouraram como bolhas de sabão quando ficou claro que ele tinha se esquecido completamente dela. Chase Reynaud não era o homem dos seus sonhos. Ele era um mulherengo incurável, diabólico que, em suas próprias palavras, declarou que nunca pensaria em seduzi-la.

Ela precisava mesmo começar aquele bordado.

– Não nos deixe cair em tentação – Alex rezou com fervor –, mas livre-nos do mal.

Quando a oração terminou, Daisy colocou a boneca falecida, reverentemente, em sua sepultura – o baú de brinquedos.

O Sr. Reynaud manteve a mão de Alexandra na sua.

– Bem, então, Srta. Mountbatten. Agora que acabamos, vou deixá-la com suas pupilas. – Ele apertou de leve a mão dela antes de soltá-la. – Que a educação comece.

## Capítulo oito

A educação tinha que esperar. Antes que qualquer aula pudesse acontecer, Alexandra precisava conquistar uma garota de 10 anos.

Após o café da manhã, a Rebelião Rosamund começou.

Silêncio foi sua primeira estratégia, e depois ela conduziu Daisy à batalha. Nenhuma das duas falava com Alex. Na verdade, depois que o funeral terminou, nenhuma das duas reconhecia a presença da aia. Rosamund lia seu livro, Daisy exumava Millicent e as três tratavam Alex como se ela não existisse.

Muito bem. Os dois lados podiam jogar esse jogo.

No dia seguinte, Alex nem tentou começar uma conversa. Ela simplesmente levou um romance e um prato de biscoitos – Nicola lhe tinha dado uma cesta cheia – e sentou na cadeira de balanço para ler. Ela riu alto nas passagens engraçadas. "Pombos, sério?", exclamou nas revelações e mastigou ruidosamente uma dúzia de biscoitos. A certa altura teve certeza de que Daisy a observava do outro lado do quarto. Contudo, ela não quis levantar os olhos para confirmar.

Tornou-se um hábito. A cada dia, Alex levava seu romance e uma variedade diferente dos biscoitos de Nicola. Limão, amêndoa, chocolate, caramelo. E a cada dia, enquanto lia e comia, as garotas ignoravam sua existência.

Até a manhã em que um odor fétido permeava o quarto das meninas. Um cheiro tão pungente que nem mesmo biscoitos recém-assados teriam chance de vencer. Conforme o dia foi ficando quente, o cheiro podre, azedo, foi se tornando nauseante. As garotas não davam pistas de sua origem e Alexandra não queria dar a Rosamund a satisfação de perguntar. Então cheirou e procurou até encontrar a origem. Um pedaço de queijo stilton grudento e embolorado na gaveta de baixo da escrivaninha dela.

Muito bem. Parecia que as táticas estavam ficando mais sérias. Ela podia fazer frente ao desafio.

Alex tinha exaurido seu estoque de biscoitos. Ela levou uma caixa nova de aquarelas, que brilhavam como joias num baú de tesouro, e as colocou ao alcance das meninas. Estas polvilharam fuligem na cadeira de Alexandra.

Alex trouxe uma ninhada de gatinhos que a Sra. Greeley estava expulsando do porão. Ninguém conseguia resistir a gatinhos fofos miando. E Daisy quase não resistiu, até Rosamund fazê-la recuar com uma palavra severa.

Naquela noite, uma ameixa podre apareceu misteriosamente no sapato de Alex – e, por azar, foi o pé descalço dela que a encontrou.

Rosamund parecia querer que ela gritasse ou tivesse um acesso de raiva, ou que fosse reclamar com o Sr. Reynaud. Contudo, Alex recusava-se a entregar os pontos. Ela apenas sorria, deixando que as garotas fizessem o que queriam. E esperava.

Quando elas estivessem prontas para aprender, iriam lhe dizer. Até lá, tentar ensinar seria um desperdício de energia.

Finalmente, a paciência de Alex foi recompensada. Ela encontrou uma abertura.

Rosamund adormeceu numa tarde especialmente quente, cochilando com o livro apoiado nos joelhos e a cabeça encostada no vidro da janela. Alex fez um sinal para Daisy se aproximar e dispôs uma fileira de doces embrulhados sobre a mesa, um ao lado do outro.

– Quantos doces tem aqui? – ela sussurrou. – Conte-os para mim e pode ficar com todos.

Daisy lançou um olhar cauteloso para a irmã.

– Ela está dormindo. Nunca vai saber.

Com seu dedinho hesitante, Daisy tocou cada um dos doces ao contá-los em voz alta.

– Um. Dois. Três. Quatro. Cinco.

– E neste grupo.

Os lábios de Daisy se moviam enquanto ela contava em silêncio para si mesma.

– Seis.

– Muito bem. Agora, quantos têm nestes dois grupos juntos? Cinco mais seis dá...?

– Daisy! – Rosamund estrilou.
Assustada, Daisy escondeu a mão atrás das costas.
– Oi?
– Millicent está vomitando as tripas. É melhor você cuidar dela.

Enquanto sua irmã, obediente, se afastava, Rosamund se aproximou de Alexandra.

– Eu sei o que você está fazendo.
– Não imaginei que não soubesse.
– Você não vai vencer.
– Vencer? Não sei se entendo o que quer dizer.
– A gente não vai cooperar, não vamos para a escola.

Alex suavizou sua postura.

– Por que não querem ir para a escola?
– Porque a escola não quer a gente. Nós já fomos para três escolas, sabia?
– Não me diga que preferem ficar aqui com o Sr. Reynaud. Se dependesse dele, vocês só comeriam torrada seca em todas as refeições.
– O Sr. Reynaud também não quer a gente. Ninguém quer. Em nenhum lugar. E a gente não quer ninguém.

Alexandra reconheceu o desobediência e a desconfiança nos olhos da garota. Doze anos atrás, aqueles olhos teriam espelhados os dela própria.

Uma parte carinhosa dela quis trazer a garota para perto. É claro que você é querida. É claro que é amada. Seu tutor gosta tanto de você. Mas mentir seria uma covardia, e Rosamund não se deixaria enganar. O que a garota precisava não era de uma garantia falsa, era que alguém lhe dissesse a verdade pura e simples.

– Muito bem. – Alex juntou as mãos sobre a mesa e encarou sua jovem pupila. – Você tem razão. Vocês duas foram passadas de lar em lar, expulsas de três escolas e o Sr. Reynaud quer se livrar de vocês na primeira oportunidade. Ninguém quer vocês. Então, o que vocês precisam decidir é: o que *vocês* querem?

Rosamund olhou desconfiada para ela.

– Eu também fui órfã. Um pouco mais velha do que vocês são agora, mas fiquei totalmente sozinha no mundo, a não ser por um parente distante que pagou meus estudos, com a condição de que nunca tivesse que me ver. Não era justo. Eu estava sozinha, minhas colegas de escola eram cruéis e eu chorava até dormir na maioria das noites. Mas, com o tempo, percebi que eu tinha uma vantagem sobre as outras garotas. Elas tinham que se preocupar em arrumar um marido para ajudar suas famílias. Eu não devia nada a ninguém, não precisava atender as expectativas dos outros quanto ao que uma moça devia ou não ser. Minha vida era só minha. Eu podia perseguir qualquer sonho, se estivesse preparada para trabalhar duro para conquistá-lo. Você entende o que estou dizendo?

Rosamund não teve nenhuma reação, mas Alex sabia que a garota estava escutando. Com atenção.

– Então, o que você realmente quer? Se pudesse ter a vida que desejasse, qual seria?

– Eu quero fugir. Não só desta casa, mas da Inglaterra.

– Para onde pretende ir?

– Para qualquer lugar. Para todo lugar. Vou levar a Daisy comigo. A gente vai viajar pelo mundo, vestindo calças e fumando charutos e fazendo o que quiser.

Alexandra esperava ouvir: "Quero ser pintora". Ou uma chef de cozinha formada na França, ou uma arquiteta. Qualquer profissão que Rosamund escolhesse, Alex poderia usá-la para planejar aulas. Mas ela tinha certeza de que o Sr. Reynaud não aprovaria aulas de como fumar charuto. Alex também não saberia como ensinar esse hábito.

– Parece uma vida e tanto, de fato – ela disse. – Mas como vão se sustentar?

– Sou muito capaz de cuidar de nós duas. – Rosamund lançou um olhar para a mesa. – Então você pode pegar seus nove doces e nos deixar em paz.

– Você sabe muito bem que são onze doces.

– São mesmo?

Alex olhou para a mesa. De fato, dois doces estavam faltando. A garota tinha conseguido roubá-los, debaixo de seu nariz, e um dos dois já tinha atravessado o quarto nas mãos de Daisy. Alex ouviu o farfalhar do papel enquanto a garota o abria.

– Rosamund, posso lhe dizer uma coisa? Você não vai querer acreditar, mas é a verdade.

A garota deu de ombros, indiferente. Foi o gesto mais caloroso que ela tinha feito para Alex até então.

– Eu gosto de você – Alexandra disse. – Eu gosto muito de você.

{ *Capítulo nove* }

Alex acordou no escuro. Desorientação envolvia seu cérebro como uma neblina. Ela sentou na cama e sacudiu a cabeça, tentando clareá-la. Seu coração batia forte. O suor grudava-lhe a camisola no peito. O pior de tudo era que seu estômago se apertava e ondulava. Como se ela estivesse no mar.

Um pavor cresceu dentro dela, transformando-se rapidamente – graças às alquimias menos úteis da natureza – em pânico.

Ela tateou ás cegas, sem encontrar nada familiar. Suas mãos agarraram lençóis da flanela mais macia. Com certeza não era dela. Seus pés encontraram um chão sólido, mas quando se levantou, as tábuas não rangeram sob seu peso.

Então seu joelho colidiu com uma cômoda. Ai!

A dor deu uma sacudida em seus pensamentos acelerados. *Acalme-se, Alexandra.* Ela levou uma mão à barriga e mentalmente repassou por todas as camadas imóveis sob seus pés. Chão de madeira. Alicerces de pedra. Ruas londrinas de paralelepípedos. A mesma terra granulosa e úmida que os romanos amassaram com suas sandálias, e o Atlas rochoso sustentando a cidade em seus ombros.

*Pronto. Você está bem, sua tonta.*

Alex não estava perdida no mar. Ela estava na residência Reynaud. E era uma aia.

Uma aia sem qualificações, mal preparada e até então malsucedida. Mas uma aia, apesar de tudo.

Quando engoliu em seco, sua língua raspou no céu da boca. Ela era também uma aia com sede.

A essa altura os olhos de Alex tinham se ajustado à escuridão. Ela foi até o lavatório e levantou a jarra. Estava leve, sem som de água. Vazia. Droga. Amanhã ela iria se lembrar de deixar um copo de água sobre a mesa de cabeceira, mas isso não a ajudaria agora. Ela pensou em chamar uma criada, mas detestava incomodar a criadagem. Apertou os olhos para seu relógio compacto de viagem no lavatório. Já eram cinco da manhã. Alex podia esperar mais uma hora até o sol nascer, não podia?

Sua garganta ressecada se opôs à ideia. Não, não podia. Para a maioria das pessoas, a sensação de sede era apenas uma inconveniência. Mas a maioria das pessoas não conhecia a tortura que era ficar sem água por vários dias seguidos.

Alex enfiou os pés nas pantufas gastas e saiu de seu quarto, atravessou o corredor e desceu a escada com passos silenciosos. Ser de estatura pequena tinha poucos benefícios e a discrição era um deles.

Na cozinha, encontrou uma chaleira sobre o fogão que continha um pouco de água fria. Ela tomou um copo, depois outro e ainda um terceiro.

Depois de saciar a sede, se virou para fazer o caminho de volta a seu quarto.

*Blam. Blam.*

Ela olhou para a porta fechada do retiro privado do Sr. Reynaud.

*Blam. Blam. Blam.*

O som abafado e rítmico cessou, mas logo recomeçou, e apesar de seu receio, Alex encostou a orelha na porta.

Agora o som abafado parecia algo batendo, como se acertasse a parede uma vez após a outra. Não eram só batidas, mas também grunhidos intermitentes.

Ela não devia ficar escutando aquilo, mas Alex não conseguia desgrudar a orelha da porta. A fascinação sórdida era irresistível.

Tudo ficou em silêncio de novo. Ela apertou a orelha com mais força na porta e segurou a respiração, eliminando assim o som incômodo de sua inspiração. Então:

*Bangue-bangue-bangue.*

*Cabrum.*

E um som profundo, cortante, parte grunhido, parte grito bárbaro.

Ela cobriu a boca com a mão. Tão absorvida que estava em sua luta para não rir, Alex não notou os passos pesados até estarem do outro lado da porta. A maçaneta virou.

Não havia tempo para fugir.
A porta foi aberta.
Ela saltou para trás, cobrindo os olhos com as duas mãos.
– Eu não vi nada.

⭐

– Eu juro – ela disse. – Não vi nada.
Chase encarou sua aia. Ela estava parada ali com uma venda de dedos sobre os olhos, vestindo uma camisola simples. As sombras delineavam os contornos do corpo debaixo da camisola.
– Eu imaginava que xeretar era indigno de você, Srta. Mountbatten.
– Sinto muito – ela disse, ainda cobrindo os olhos. – Só desci para tomar um copo de água, juro.
– Encostar a orelha numa porta me parece um método ineficiente de saciar a sede.
Os ombros dela murcharam.
– Não queria me intrometer. E não vi nada, juro. Vou agora mesmo para o meu quarto. – Ela cobriu ambos os olhos com uma mão e tateou comicamente com a outra. – Vire-me para a posição certa, sim?
– Nós vamos brincar de pega-pega?
– Não. – Ela sentiu o pescoço ficar vermelho. – Me vire na outra direção. Para a porta. Ponha-me no caminho por onde eu vim que vou voltar para a cama.
Chase foi até a bacia e acionou a bomba de água. A cena era tão absurda que ele quase se esqueceu da dor latejante em sua mão.
– Ainda não posso deixá-la voltar para a cama. Preciso da sua ajuda.
Ela engoliu em seco ruidosamente.
– Ajuda?
– Não posso fazer isto com apenas uma mão.
Ela cambaleou ao dar um passo para trás, trombando com uma estante de formas de manteiga em cobre, fazendo-as tilintar. Embora tivesse encostado num canto, ela não ousou tirar as mãos da frente dos olhos.
– Será que sua... sua visita não pode ajudá-lo?
*Sua visita?*
– Eu não tenho nenhuma visita.
Um único dedo se afastou do rosto dela. Reynaud viu os cílios escuros pela fenda.

– Pensei que estivesse com uma visita – ela disse.

Ele olhou para a porta de seu retiro, depois se voltou para ela.

– Por que pensou isso?

– Eu ouvi... – Ela engoliu em seco e sussurrou em voz baixa: – ...batidas. E grunhidos.

Bom Deus.

Ele riu.

– Se pensou ter ouvido alguma indecência, vou ter que desapontá-la. Eu estava fixando painéis de madeira. Com martelo e pregos. E acertei meu polegar. Daí os grunhidos.

– Oh. – Ela baixou as mãos e soltou uma risada nervosa. – Graças a Deus. Que alívio. Quero dizer, não estou aliviada por seu ferimento, é claro. Sinto muito por isso. Só estou feliz que você não está...

– Nu em pelo e coberto por um merecido suor?

– Ahn... isso.

Chase rilhou os dentes. Ele adoraria continuar com a brincadeira, mas seu polegar não podia ser ignorado.

– A cozinheira guarda emplastro ali. – Ele apontou o queixo para uma prateleira alta do armário. – Se puder fazer a gentileza de pegar para mim.

Ela não fez o que Chase pedia, mas se aproximou dele e examinou a ferida.

– Você não pode apenas passar emplastro por cima disto.

– É uma ferida pequena.

– Mas profunda. Tem que ser bem limpa.

– Está tudo bem.

– Já vi feridas como esta infeccionarem. Homens maiores e mais fortes já sucumbiram por menos.

– Não é problema seu, na verdade – ele disse, ficando irritando com a sugestão de que ela teria cuidado das feridas de homens maiores e mais forte.

– É problema meu. Se você morrer de gangrena ou tétano, quem vai me pagar?

Verdade. Ele estendeu a mão para ser cuidada.

Ela lavou minuciosamente a ferida com água fervida e sabonete forte de lixívia. Ele estremeceu. *Maldição, cacete, inferno.*

Então ela pegou a garrafinha no bolso do colete dele.

– Posso? – Após destampá-la, ela a aproximou dos lábios dele. Diante da expressão curiosa dele, a Srta. Mountbatten explicou: – Você vai precisar disto. Vai doer.

Chase tomou um gole. Ele não iria admitir nenhuma dor, mas não recusaria um gole de bom conhaque.

Enquanto ele observava, ela despejou um fio de conhaque diretamente na ferida, deixando escorrer até transbordar. Então apertou a ferida para extrair mais sangue e repetiu o processo.

Por fora, Chase estava decidido a parecer másculo e insensível à dor.

Por dentro... *Jesus*.

Quando ela tampou o conhaque e pôs a garrafa de lado, ele exalou de alívio. Então ela se virou para os armários da cozinha.

– Agora, um pouco de vinagre.

*Que inferno.*

Ele estremeceu quando ela começou a nova rodada de tortura.

– Como estão indo as aulas das garotas? – Chase perguntou.

– Devagar. Estou tentando ganhar a confiança delas, mas as meninas têm um tipo de ferida que não vai ser fácil de curar. Há quanto tempo os pais delas morreram?

– Não tenho ideia – ele admitiu. – Nem sei se são órfãs. Podem ser ilegítimas.

– Elas não são...? – A Srta. Mountbatten interrompeu a frase no meio, abandonando a pergunta.

– Minhas? – Ele estremeceu diante da sugestão. – Eu ainda estava na escola quando Rosamund nasceu. É verdade que possuo um talento natural para sedução, mas não fui tão precoce *assim*. Só sei que o pai delas nunca se apresentou, e que a mulher que chamavam de mãe morreu há três anos. Elas têm passado de parente para parente e mudado de escolas desde então.

Ela estalou a língua.

– Apesar de todas as travessuras, tenho pena delas.

*Você deveria estar com pena de mim*, ele pensou.

Ter uma mulher tão atraente vivendo debaixo do mesmo teto era uma tentação constante. E Chase costumava enfrentar tentações com o mesmo sucesso que uma gaivota enfrentava a Marinha Real.

Longe dos olhos não era longe do coração. À noite, ele se pegava pensando nela. No quarto escuro, sozinho. Mas pior ainda eram as manhãs. Pelo amor de Deus, ele começava cada dia segurando a mão dela. Isso, e tentando como louco fazê-la rir. Chase ainda não tinha conseguido isso, mas na maioria dos dias ele extraía um sorriso relutante da Srta. Mountbatten. Só isso valia os quatro lances de escada.

Ontem mesmo, Rosamund o acordou com uma única palavra:

– Tênia. – Ele praticamente levantou de um pulo, encantado.

Não era apenas desejo, mas em parte era. Ele sabia que o aspecto de inocência frequentemente escondia uma mola bastante tensa que esperava ser libertada. No escuro da noite, com aquela camisola virginal desabotoada e a cabeleira preta numa trança frouxa, Alexandra Mountbatten podia se mostrar surpreendente.

Ele mal tinha conjurado essa imagem e ela desfez o laço que segurava a extremidade da trança. Quando o cabelo se soltou, caindo livre, ele fitou uma mecha preta deslizando pelo pescoço dela.

A Srta. Mountbatten apertou os lábios e soprou a ferida dele, para secá-la. Deus Todo-Poderoso.

– Não há dúvida de que elas são inteligentes – ela continuou, enrolando no polegar dele a tira de tecido que antes lhe segurava o cabelo. – Mas a vida ensinou a elas algumas lições difíceis. Basta olhar para Millicent para ver como Daisy está sofrendo. E é só passar alguns minutos com Rosamund para ver que ela aprendeu a ser desconfiada. Essa menina não vai baixar a guarda tão facilmente. Serão necessários tempo e paciência para ganhar a confiança dela.

– Você tem até o outono.

– *Nós* temos até o outono. – Com habilidade, ela prendeu a tira de tecido em si mesma, terminando o curativo.

– Disciplinar crianças não é um dos meus talentos. Foi por isso que contratei você, para que as controle.

Alexandra Mountbatten levantou os olhos para ele.

– Talvez elas não precisem ser disciplinadas, mas amadas.

*Amadas?* Ele tirou a mão da dela.

– Ah, não. Não comece a ter ideias.

– Minha nossa. Que os céus não permitam que uma mulher tenha ideias.

– Ideias podem ser muito boas, mas não *essas* ideias. Eu conheço esse brilho nos olhos de uma mulher. Já o vi antes, e muitas vezes. Você acha que pode me convencer a me estabelecer.

– Você não precisa se estabelecer. Meu pai era capitão da marinha mercante. Fui criada num navio, viajando pelo mundo. Nós éramos a família menos estabelecida do mundo, e ainda assim nunca duvidei do amor dele por mim.

– Espere. Você foi criada num *navio*? Viajando pelo mundo?

Ela parou no ato de guardar os unguentos e emplastros não usados.

– Eu não deveria ter falado disso.

– Não, acho que você deveria sim ter falado. E muito antes.
– E isso importa? Pode ser que minha criação não tenha sido convencional, mas isso não significa que eu não possa executar meus deveres. Eu tive uma educação completa. Aqui na Inglaterra, em uma escola normal. Eu... eu lhe avisei que não tive uma formação aristocrática, e você disse que não importava. – A voz dela ficou pequena, mas vibrava de emoção. – Sr. Reynaud, eu preciso deste emprego. Por favor, não me demita.
– Não seja ridícula. Não é minha intenção demiti-la. Não foi o que eu quis dizer.
– Não foi?
– Não. Você deveria ter me contado de imediato porque deveria contar logo para todo mundo. Se eu tivesse sua história de vida, seria a primeira coisa que eu diria para todo mundo. "Olá, meu nome é Chase Reynaud. Eu aprendi a andar a bordo de um navio mercante e os Sete Mares balançavam meu berço. E eu já disse que nenhum pôr do sol tropical se compara com sua beleza?" As mulheres cairiam na minha cama.
– Elas já não caem na sua cama?
– É verdade. Mas poderiam cair meio minuto mais cedo. Ao longo dos meses e anos, esses meios minutos vão se somando. Então, vamos ouvir o resto da história.

Ela pôs o sabão e o vinagre de lado.
– Meu pai era americano. Após a Revolução...
– A rebelião – ele a corrigiu.
– ...ele se tornou marinheiro. Ele foi subindo de posto até chegar a imediato quando ancoraram no porto de Manila. O navio dele foi um dos primeiros a fazer negócios com as Filipinas. Além dos espanhóis, é claro. De qualquer modo, eles ficaram ali por alguns meses. Foi onde meu pai conheceu minha mãe. E eles se apaixonaram.
– Ela era uma colona espanhola, então?
– Mestiça. Meu avô era espanhol, mas minha avó era nativa da ilha.

Fascinante. Essa informação esclarecia alguns mistérios que andavam perturbando a mente de Chase. A vida a bordo de um navio mercante devia ter ensinado a ela o valor das coisas – de tudo, desde a fita ao redor de seu pescoço até telescópios e cometas. Ele imaginou que a mãe a tinha abençoado com aquela cabeleira preta e o nariz delicado como um botão – e o pai devia ser, provavelmente, o culpado por sua natureza teimosa e independente. Não dava para dizer àqueles americanos o que eles deviam fazer.

– Então, se o seu pai era americano e conheceu sua mãe nas Filipinas... como foi que você veio morar na Inglaterra?

– É uma longa história.

Chase olhou com pesar para o dedo enfaixado.

– Não vou voltar a trabalhar esta noite.

Ela hesitou.

– Depois que eles se casaram, meu pai voltou para Boston. Ele prometeu retornar às Filipinas depois que conseguisse um sócio e comprasse seu próprio navio. Deveria ter demorado um ano, mas, no fim, passaram-se mais de três. Quando enfim conseguiu voltar, ele descobriu que minha mãe havia morrido. Ele não estava mais casado.

– Mas tinha se tornado pai.

Ela assentiu.

– A maioria dos homens teria me deixado para ser criada pela família da minha mãe, mas meu pai não quis saber disso. Ele me pôs a bordo do navio e lá fomos nós. O *Esperanza* foi nosso lar durante a década seguinte. Ele batizou a embarcação em homenagem à ela. – A Srta. Mountbatten abriu um sorriso triste. – Do mesmo modo que minha mãe tinha me batizado em homenagem a ele. O nome do meu pai era Alexander.

– É assustador de tão romântico.

– Não é? E se você acha que a história é melosa demais, espere para saber o resto. Meu pai naufragou com o *Esperanza* em uma tempestade. Podemos dizer que ele morreu nos braços de seu verdadeiro amor. E foi assim que vim parar na Inglaterra.

– Espere um instante. Estão faltando algumas partes dessa história.

Como a parte em que ela conta para ele quem é o culpado por jogá-la, sozinha, num país estranho. E se esse alguém continua vivo e pode ser espancado.

Ela mudou de assunto.

– Como foi que os *seus* pais se conheceram?

– Vamos ver. – Chase tamborilou os dedos na mesa. – Meu pai era o segundo filho. Tinha contatos, mas não tinha dinheiro. Ele encontrou uma moça com dinheiro, mas sem contatos. Ele a pediu, ela aceitou e os dois se casaram. Um ano depois, eu nasci. E todos vivemos infelizes para sempre.

A Srta. Mountbatten ficou em silêncio por um instante.

– Eu gosto mais da minha história.

– Eu também gosto mais da sua. Mas voltando ao problema em mãos, minha história deixa claro um ponto: eu não tenho ideia de como deve ser uma família. Não posso ser um tutor satisfatório. Diabos, eu nem tenho *cachorros*. Compromisso é algo que não faz parte da minha natureza.

– Você é viril demais para se deixar amarrar, não é? – Os olhos dela o provocaram. – Devem ser todas aquelas galhadas.

– Não faça pouco disso – ele falou em tom de aviso. – E já que estamos falando sobre isso, é desaconselhável ficar vagando à noite pela casa de um notório mulherengo. Sua reputação pode ficar comprometida.

– Isso não me preocupa. Você disse que a ideia de me seduzir nunca passaria por sua cabeça.

– Sim, mas às vezes – ele murmurou – um homem age sem pensar.

Chase se inclinou como se atraído por ela, tentando se convencer de que um beijo seria para o bem dela. Só um beijinho, claro. Um mero roçar de lábios. Não seria algo tão terrível da parte dele. Seria um *pouquinho* terrível da parte dele, e esse era o objetivo. Colocar um sinal de exclamação no seu alerta. *Cuidado. Volte. Monstros a partir deste ponto.* Ele estaria fazendo um favor a ela, na verdade.

Certo. Ele tinha ido para a cama com acrobatas venezianas menos flexíveis que sua própria moral.

– Espere. – Ela pôs a mão no peito dele.

*Espere*, ela disse.

"Espere" não era "pare".

– Você pode se dar ao luxo de agir sem pensar – ela continuou –, mas eu tenho razão para ponderar as coisas.

– Razão para ponderar as coisas – ele ecoou, confuso.

– Sempre que preciso tomar uma decisão, considero os argumentos contra e a favor.

– Lembre-me: que decisão você está para tomar?

– Se devo permitir que você me beije.

Ele a encarou.

– Essa era sua intenção, certo? Beijar-m... – Ela empalideceu, horrorizada. – Oh, Senhor. Não era, era? Eu compreendi mal.

– Não, não – ele procurou tranquilizá-la. – Essa era minha intenção.

– Oh. – Ela exalou e a bela cor rosada voltou às suas faces. – Que bom.

– É mesmo?

– Não tenho certeza, ainda. A pilha dos "contras" é bem grande. – Ela pegou cubos de açúcar no pote de açúcar e começou a acumulá-los numa pilha sobre a bancada. – Sou sua empregada. Você é meu patrão *e* um mulherengo desavergonhado. Você está evidentemente brincando comigo. Eu posso perder seu respeito. Eu posso perder meu próprio respeito. Eu posso lhe dar a ideia de que estou disposta a permitir outras liberdades, o que não estou.

— Nunca imaginei que estivesse.

— Mas na pilha "a favor"... — Ela pegou vários cubos de açúcar e foi acrescentando um por um. — Se fosse apenas uma vez...

— Seria mesmo.

— ...sem envolvimento adicional...

— Eu detesto envolvimento — ele afirmou. — Apenas pensar em envolvimento me dá coceira.

— E você deve ter desenvolvido algum talento em beijos, considerando sua história. Então eu imagino que poderia encontrar coisa pior.

Espere um instante. *Pior?* Ele não podia deixar isso passar.

Chase baixou a voz para um tom sedutor.

— Querida, seria difícil você conseguir algo melhor.

— Exatamente — ela concordou, pragmática. — Pode ser uma experiência agradável para o meu primeiro beijo.

Chase não conseguiu acreditar no que escutou. Primeiro beijo? Que piada. Aquela boca suculenta, rosada, era eminentemente beijável.

Ela mordeu o lábio inferior, como se pudesse sentir o olhar dele.

— Minha nossa, acho que poderia ser meu único beijo. É humilhante pensar nisso, mas a possibilidade não pode ser descartada. Outro cubo na pilha "a favor", não acha? Saber que mesmo que eu morra uma solteirona, terei sido beijada.

Ele a observou colocar outro cubo de açúcar na pilha.

— Se você toma todas as suas decisões desse modo, deve enlouquecer os comerciantes.

— Normalmente não listo minhas razões em voz alta. — Ela ficou corada.

— Longe de mim querer interrompê-la. Tenho interesse na sua conclusão. — Ele colocou o cotovelo na bancada e apoiou o queixo na mão, observando-a. Aquele debate de uma só pessoa era fascinante. Assim como as feições encantadoras da Srta. Mountbatten quando estava tão concentrada.

Por mais mulheres que ele tivesse encantado e seduzido em toda sua vida, ele não podia dizer, com sinceridade, que tivesse encontrado alguma mulher como esta. E a história de vida dela era só metade do encanto.

Ela arrastava um cubo de açúcar para um lado e para outro com a ponta de dois dedos. Ele queria enfiar aqueles dedos esguios em sua boca e passar a língua por eles, entre eles, lambendo sua doçura até ela exclamar com o prazer proibido. A fantasia era tão vívida que podia sentir seu sabor.

Bom Deus.

Chase se endireitou, pigarreou e bateu, de modo afável, os nós dos dedos na bancada.

– Então faça-me saber quando tiver sua resposta. Estarei disponível na próxima quinta-feira, se lhe for conveniente.

Com os olhos ainda no açúcar, ela sinalizou pedindo uma pausa.

– Um momento.

Naturalmente, a resposta seria negativa. Nenhuma mulher ajuizada, com a oportunidade de refletir sobre o assunto, ponderaria os dois lados e chegaria ao sim. Era por isso que ele fazia com que suas conquistas ficassem tontas com seu charme e suas bajulações; por isso que ele as deslumbrava com ambientes de luxo e vinhos espumantes. Por isso ele restringia suas relações a uma noite e nunca mais que isso.

Porque se uma mulher o observasse perto demais e refletisse por muito tempo, veria a verdade: ele era um canalha desprezível e desavergonhado. Alexandra Mountbatten sabia disso. Ela o tinha compreendido desde o início. A resposta dela seria "não".

Então por que Chase segurava a respiração na expectativa?

Talvez o conhaque tivesse embaralhado seu raciocínio.

Ou talvez ele não pudesse deixar de imaginar qual seria a sensação se uma mulher racional, perceptiva, visse quem ele era – de verdade – e ainda assim achasse que ele valia o risco.

O coração de Chase subiu por sua garganta e ricocheteou em seus ouvidos, tudo porque uma aiazinha metódica estava demorando mais que de costume para rejeitá-lo. Absurdo. Estúpido, na verdade.

Enfim, ela pôs fim ao suspense.

– Não quero que você me beije – ela disse –, agora que refleti a respeito.

Está vendo? Era isso. Ela era inteligente o bastante para ver a sujeira escura e podre que era a alma dele e não querer nada com aquilo.

Ela levou sua mão pequena e delicada até o rosto dele. Não para lhe dar o tapa que ele merecia, mas para fazer um carinho exploratório. O olhar dela deslizou pelo rosto dele como uma flor de macieira, parando na boca.

– Eu acho... – Ela umedeceu os lábios. – Eu acho que prefiro beijá-lo.

E antes que Chase pudesse começar a sentir o choque daquelas palavras, ela o beijou.

## { Capítulo dez }

No momento em que encostou seus lábios nos dele, Alexandra soube que tinha cometido um grave erro de cálculo. Os cubos de açúcar cuidadosamente empilhados formavam apenas doces pilhas de mentiras. Ao insistir em tomar a iniciativa, ela disse a si mesma que poderia satisfazer sua curiosidade *e* manter o controle.

Controle. Rá. Ela não podia controlar algo que mal compreendia. Da mesma forma que um fazendeiro do interior, que nunca viajou, não podia comandar um veleiro e traçar um curso para a lua.

Alexandra não fazia a menor ideia de como navegar pela paixão.

Contudo, em poucos momentos ele começou a comandar a aventura.

O beijo dela tornou-se dele. Uma série de toques leves, provocadores, da boca dele na dela. Ele saboreou o lábio superior, depois o inferior. Demorando-se, como se o beijo fosse um quebra-cabeça. Como se ele a considerasse cativante. Fascinante.

Então ele abriu os lábios dela e enfiou a língua entre eles.

*Oh. Oh, céus.*

Alex ficou abismada com a invasão, cambaleante com as sensações, mas não se atreveu a se afastar.

Ao contrário. Ela se atreveu a se aproximar.

Esse era seu primeiro beijo. Bom ou ruim, constrangedor ou satisfatório, lembraria dele pelo resto de sua vida. Mas, mais do que isso, Alex queria que *ele* também se lembrasse. Ele tinha se esquecido dela após o encontro casual na livraria. Dessa vez, ela estava decidida a se eternizar na memória dele. Não importava quantos beijos vieram antes do dela, nem quantos viriam depois – deste ele teria que se lembrar.

Sem hesitação. Sem timidez. Ela queria dar o mesmo que recebia – ou morrer de humilhação tentando.

Quando ele aprofundou o beijo, ela mergulhou no abraço, deslizando as mãos pelos ombros dele até a ponta de seus dedos se encontrarem na nuca de Reynaud. O cabelo era curto ali, e ela passou os dedos pelos fios densos.

Ele gemeu com suavidade, e o som foi uma súplica. Ressoando desejo. Expondo vulnerabilidade.

Então, com um grunhido, ele a pegou nos braços e levantou-lhe o corpo, trazendo-o contra o dele. A camisola fina era igual a nada. Os dedos de seus pés mal tocavam o chão. A língua dele acariciava a dela num ritmo ousado, sugestivo, e Alex mal conseguia respirar. O calor crescia entre os corpos, fundindo-os. A mão não machucada dele se fechou num punho possessivo, segurando e torcendo as costas da camisola.

Ele não estava apenas liderando, mas dominando-a.

Talvez essa fosse a intenção dele, esconder-se atrás da intimidade. Puxá-la para perto como modo de mantê-la à distância. Estranho. Ela teria que refletir mais a respeito, quando refletir voltasse a ser uma opção viável. No momento, os beijos dele estavam apagando a mente dela.

Era provavelmente isso que ele queria.

De repente, ele a recolocou no chão. Quando se separaram, o impulso dela foi baixar os olhos e se afastar devagar. Contudo, ela se obrigou a defender sua posição e sustentou o olhar dele. Ela tinha dado seu melhor. Alex sempre se lembraria disso. Mesmo que ele não considerasse memorável o beijo, pelo menos ela saberia que não se poupou. Havia orgulho nisso.

Ela examinou o rosto dele à procura de sinais de aprovação ou desdém. A expressão de Reynaud, contudo, não revelava nada além de confusão.

– Cristo. – Ele arregalou os olhos para ela.

No tocante a reações, ela não sabia como interpretar blasfêmia.

Talvez ele também não soubesse.

Ele tirou as mãos dela de seu pescoço e as recolocou sobre os olhos de Alexandra, virando-a pelos ombros e levando-a até a porta da cozinha.

– Volte para a cama, Srta. Mountbatten. Isto nunca aconteceu.

*Isto nunca aconteceu.*

Não para ele, talvez. Mas para Alexandra...? Esse beijo aconteceu. De fato e de verdade, aconteceu, em todas as partes de seu corpo. Nos dias que se seguiram, o beijo ocupou quase toda sua mente.

Ela compreendeu, então, por que os serviços dele como amante eram tão requisitados. Toda sensatez a desertou quando os lábios dele tocaram os dela. Apenas as sensações permaneceram. Calor, cheiro, força e sabor.

O gosto dele era... Ela não sabia dizer com exatidão. Qual era o gosto de um grunhido grave, masculino? Parte conhaque, parte pecado... e completamente inebriante. Só de lembrar, um torpor lânguido se espalhou pelas pernas dela.

Alex sacudiu os próprios pensamentos.

Ela tinha que parar de pensar nisso e deixar esse encontro para trás. Desde o último outono ela imaginava qual seria a sensação de um beijo. Agora ela sabia e sua curiosidade tinha sido saciada. Para ele, não tinha sido nada. Uma noite entediante em casa.

*Isto nunca aconteceu.*

Alexandra precisava se concentrar nos seus deveres. Aquele emprego duraria pouco. Ela precisava financiar seu futuro.

– Estou fazendo a bainha deste lenço, Daisy. Gostaria de tentar?

Daisy olhou para a irmã mais velha. Rosamund deu de ombros, dando-lhe em silêncio e de má vontade a permissão, como se dissesse, *se você quer*.

– Muito bem, então. – Alex sinalizou para a garotinha se aproximar. – Por que você não tenta.

Obediente, Daisy pegou o trabalho semipronto das mãos de Alex. Seus pontos foram hesitantes e desajeitados, mas Alex cobriu a garota de elogios e encorajamento quando ela chegou ao final.

– Você foi muito bem, Daisy.

– Não fui, não. Está tudo torto.

– Mas é um começo excelente. Ninguém pode esperar perfeição na primeira tentativa. Tudo que você precisa é de um pouco de prática. Depois que a bainha estiver feita, vou lhe ensinar a bordar letras. Vamos começar com esta. – Ela desenhou uma letra na lousa com giz. – Que letra é esta?

– D.

– E você sabe por que vou lhe ensinar essa primeiro?

A garota sorriu, tímida.

– Porque é de Daisy.

– Isso mesmo. – Alex ficou contente. Uma letra do alfabeto aprendida, faltavam só vinte e cinco. Ela iria celebrar as menores vitórias. – Depois que aprender a bordar, vai estar pronta para todo tipo de empreitada. Toalhas de mesa, guardanapos...

– Guardanapos? – Rosamund grunhiu. – Por que iríamos bordar florzinhas e monogramas em retalhos de pano cuja função é limpar cuspe e sopa babada? É nojento, se pensar bem.

Alex nunca tinha pensado nisso, mas agora que Rosamund falou, *era* mesmo um pouco nojento.

– Não se trata apenas de guardanapos bordados – ela disse. – Existem inúmeras aplicações práticas para a costura. Toda garota devia aprender a remendar uma roupa.

– E por que os garotos não aprendem a consertar as deles?

– Alguns aprendem. Foi um homem que me ensinou a costurar.

Rosamund, cética, arqueou uma sobrancelha.

– Mesmo?

– Mesmo. Eu fui criada num navio. Não havia outras mulheres a bordo.

– Conte mais – Daisy pediu. – E não de costura. Conte alguma coisa divertida.

– O que há para contar? – Rosamund disse. – Ela não conheceu nenhuma sereia.

Alex hesitou. Contar sua história para o Sr. Reynaud tinha sido uma imprudência. Ela deveria estar transformando aquelas duas garotinhas em jovens damas. Contar sua própria infância desregrada para suas pupilas em nada colaboraria com esse objetivo.

E se ela fracassasse, não seria paga.

Era isso, então. Nada de histórias de alto-mar.

A Sra. Greeley apareceu para salvá-la.

– Srta. Mountbatten, você tem visitas. Duas jovens. Estão do lado de fora, na calçada. Eu as teria convidado a esperar na sala de estar, não fosse pelo... – Ela franziu o nariz, enojada. – Pelo animal.

Duas jovens com um animal? Só podia significar uma coisa.

– Obrigada, Sra. Greeley. – Alex se levantou. – Rosamund, se eu descer para ver minhas amigas por meia hora, posso confiar que, ao voltar, vou encontrar você, sua irmã e o quarto inteiros?

– Não se preocupe. Ainda estou dando os retoques final no nosso plano de fuga. Não vamos a lugar nenhum hoje.

– Ótimo. – Ela disse, e acrescentou em voz baixa: – Eu acho.

Alex correu escada abaixo e saiu pela porta da frente para encontrar as amigas à sua espera no centro da praça. Nicola, Penny e uma cabra explorando o gramado de coleira e guia, como um cachorrinho que saiu para passear.

Alex abraçou cada uma das amigas. Penny dava os mais maravilhosos abraços apertados, e Nicola sempre cheirava a açúcar queimado. Alex sentiu o coração apertar. Ela ainda não tinha se dado conta da falta que sentia das amigas.

– É tão bom ver vocês duas. Por que vieram?

– Emma teve o bebê – Nic mostrou um envelope. – O telegrama chegou esta manhã.

– Isso e Marigold precisava pastar. – Penny coçou a cabeça da cabra entre as orelhas.

Alex tirou a carta da mão de Nicola, desdobrando-a para poder ler. Era tão curta que passar os olhos pelo conteúdo não demorou mais que um segundo.

– Oh, é um menino – ela disse. – Que maravilhoso. Imagino que vá se chamar Richmond, pois é o título de cortesia. Não fala qual é o nome de batismo.

– É uma carta horrível – Nicola disse. – Ashbury que escreveu. Não dá para confiar num homem para escrever sobre bebês.

– Nenhuma descrição. – Penny suspirou. – Como vamos saber como ele é? Qual dos dois ele puxou? E o temperamento?

– Ele é provavelmente rosado, enrugado, careca e faminto, como todos os recém-nascidos. Duvido que ele teve tempo de manifestar uma preferência política. – Alex dobrou a carta e a devolveu para Nicola. – Precisamos ter paciência. Emma vai escrever quando se sentir descansada, e então irá nos contar todos os detalhes.

– Por falar em detalhes – Nicola disse –, acredito que uma certa aia nos deve alguns.

– Isso mesmo. – Penny soltou a guia de Marigold e pegou Alex pelo braço, arrastando-a para o banco mais próximo. – Conte-nos tudo.

Elas não precisaram pedir outra vez. Alexandra despejou nas amigas quinze dias de pensamentos. Ela lhes contou tudo a respeito de Rosamund e Daisy. Os funerais diários da boneca, o pequeno furto e os cinco objetivos que ela devia ajudar as meninas a alcançar em dez semanas – oito, agora.

– As pobrezinhas estão sofrendo – Penny disse. – Precisam de carinho, não de aulas.

– Eu sei. Mas prepará-las para a escola é a tarefa para a qual fui contratada. Se eu não tiver sucesso... – Alex apoiou os cotovelos nos joelhos e deixou o queixo afundar em suas mãos. – Elas não se interessam por bordado. São imunes a subornos. E eu devo ensinar caligrafia para Daisy quando ela nem mesmo conhece as letras?

– Gostaria que nós pudéssemos ajudar você com a coisa de aia – Nicola disse. – Mas afazeres tradicionais de ladies não são nosso forte.

– Eu sei – Alex suspirou. – É por isso que gosto tanto de vocês.

Elas eram amigas exatamente porque *não* se encaixavam no modelo de escola preparatória. Elas eram diferentes e não tinham vergonha disso. O mesmo podia ser dito de Rosamund e Daisy. O mundo tentaria dizer para as duas que elas não eram boas o bastante, e Alex odiava participar desse complô.

Penny se esticou para pegar a guia da cabra.

– E o Mulherengo da Livraria? Já confessou seu amor por você?

– Não – Alex respondeu. – *Não*.

– Essa negação foi veemente demais para que acreditemos nela.

– Passo meus dias nos aposentos das garotas – Alex insistiu. – Mal encontro o homem.

*A não ser por uns poucos minutos todas as manhãs. Quando ele segura minha mão. Oh, e por aquele beijo tolo, desajeitado, na cozinha.*

– Ora, vamos – Penny insistiu. – Somos suas melhores amigas. Se ele a está cortejando, você precisa nos contar.

Nicola grunhiu.

– Se ele a está assediando, você quer dizer.

– Não há nada para contar – Alex insistiu. – Nada de romântico. Nada de perverso. Nada de nada.

Alex nem considerou sua afirmação uma mentira. *Isto nunca aconteceu*, ele disse. Então não aconteceu. Aquele beijo na cozinha foi a última vez que ela se deixaria levar. De agora em diante, o pragmatismo reinava.

– Acreditem em mim – ela insistiu mais uma vez, só para garantir –, é mais provável que meu futuro esteja nas estrelas do que nos braços de Chase Reynaud.

– Oh, quase esqueci – Nicola disse, animando-se. Ela desamarrou a touca e a retirou com cuidado, tirando dali um pacote embrulhado em papel pardo, que entregou para Alex. – Eu finalmente consegui acertar o biscoito de lavanda e baunilha. Precisei de sete tentativas, mas consegui fazer uma fornada que não tem gosto de sabão.

Alex pegou o pacote.

– Você carregou isto dentro da touca?

– A cabra ficava tentando tirar da minha mão, e Penny disse que ela não pode comer doces. Quando você vai mandar esse animal de volta para o interior, afinal?

– Quando ela estiver curada, é claro. Marigold tem uma digestão sensível.

– É óbvio! – Nic exclamou, irônica, observando Penny afastar o animal de um arbusto semidevorado. – Um estômago delicado, de fato.

Segurando o pacote de biscoitos com as duas mãos, Alex beijou Nicola no rosto para se despedir.

– Obrigada. Era disto mesmo que eu precisava.

– É só biscoito – Nicola respondeu.

Alex sorriu.

– Nunca subestime o poder dos biscoitos.

Depois que as amigas se foram, Alex voltou para casa e correu escada acima até o quarto das crianças, indo diretamente para a lousa.

Sete tentativas. Nicola precisou de sete diferentes tentativas para ter sucesso fazendo biscoitos de lavanda e baunilha comíveis. Alex precisava seguir o exemplo da amiga. As cinco matérias listadas na lousa da sala de aula não eram a receita certa para uma educação. Elas eram como as primeiras seis fornadas de biscoito da Nicola. Juntas, tinham gosto de sabão.

Ela limpou a lousa.

– Chega de Matemática e Etiqueta. Temos um novo conjunto de matérias.

– Do que você está falando? – Rosamund perguntou.

– Você queria desafiar as regras, Rosamund? Ver o mundo? Ser livre? Então só tem uma opção. – Ela escreveu uma palavra no alto da lousa e a sublinhou com uma linha grossa. – Pirataria.

– Pirataria? – Rosamund pareceu cética, mas interessada.

– Estas são suas novas matérias. – Alexandra escreveu cinco tópicos na lousa. – Diário de bordo. Saque. Navegação. Código dos piratas. – Ela terminou a lista. – E Costura.

– Costura? – Daisy fez uma careta. – Para que um pirata precisa de guardanapos?

– Não precisa. Mas todo marinheiro, que obedeça à lei ou a desafie, precisa saber como trabalhar com agulha e linha. Em alto-mar não há costureiras para costurar uma vela ou remendar uma meia.

A desconfiança de Rosamund venceu.

– Não ligue para ela, Daisy. É só um truque.

Alex continuou, fingindo não ouvir a menina.

– Vamos ter nosso próprio navio. Aqui mesmo neste quarto. Eu serei a capitã, é óbvio. Rosamund, você será a imediata. Responsável pelo diário de bordo e pelo dinheiro.

– E eu? – Daisy perguntou.

– Você – Alexandra disse, agachando-se perto dela – será nossa intendente. Isso quer dizer que irá racionar comida e água para a tripulação. E como temos poucos marinheiros, você também assumirá a função mais importante de todas: médica de bordo. Existem tantas doenças e enfermidades que afligem os piratas. Escorbuto, malária, dengue...

Os olhos de Daisy se acenderam.

– Peste? – ela perguntou.

– Sim, querida. Até mesmo peste bubônica.

A pobre Millicent enfrentaria mares agitados.

Alex se ergueu.

– O que me diz, Rosamund? Vai se juntar à nossa tripulação?

Rosamund olhou para a lousa.

– Como você pretende nos ensinar todas essas coisas?

– Experiência pessoal. Eu era mais nova que vocês e já escalava os cordames. Sei como traçar uma rota para Barbuda, sei quanto vale um *real* espanhol em xelins e sei negociar em Português.

– Nosso tutor sabe que está propondo isso?

– Ele não sabe de nada.

– Ele não vai gostar disso – observou Rosamund.

Alex deu de ombros.

– Piratas não pedem permissão.

Ela tinha sido contratada para ensinar aquelas garotas e pretendia cumprir seu dever. Sua condição financeira não lhe permitira fazer outra coisa. Mas ela iria cumprir seu dever sob seus próprios termos. Rosamund e Daisy precisavam de motivação, não etiqueta. Confiança, não comportamento.

E quer Chase Reynaud desejasse isso ou não, Alexandra faria com que elas recebessem o que precisavam. Não iria ajudar a transformá-las em jovens ladies com boas-maneiras e cabeças vazias que não causassem problemas a ele.

Ela as ajudaria a se tornarem mulheres que não poderiam ser ignoradas.

– Então, Rosamund?

Após um instante, Rosamund colocou o livro de lado.
– Muito bem.

Alexandra conteve um sorriso de triunfo. Provavelmente, a garota tinha decidido fazer a vontade dela por puro tédio, mas era um começo.

– Então temos muito que fazer. Para começar, precisamos equipar nosso navio. – Ela foi até a janela e tirou a cortina da vara com um puxão. Não era lona das mais resistentes, mas daria uma vela adequada para o que ela pretendia. Alex olhou para Rosamund. – Sabe onde podemos encontrar um rolo de corda?

{ *Capítulo onze* }

— Deite na cama para mim.
De seu lugar na beira do colchão, Barrow o encarou.
— Isso não está no meu contrato de emprego.
— Apenas deite, sim?
Barrow obedeceu.
— Sabe, só estou fazendo isso porque são cinco horas, e dou mais valor a jantar na hora certa do que à minha dignidade.
— Não, não. Assim não. De lado, olhando para mim. Apoie-se num cotovelo e descanse a cabeça na mão.
— Você vai me desenhar como uma das suas garotas francesas?
— E tire as botas do colchão. É novo. Da melhor qualidade que um mulherengo desavergonhado pode comprar.
Barrow revirou os olhos.
— Agora. — Chase levantou um espelho com moldura dourada e o colocou na parede em frente à cama. — Diga-me, consegue se ver?
— Em parte.
— Que partes? As partes boas?
— É isso. — Barrow se sentou. — Para mim, chega.
— Vamos lá, amigo. Não posso fazer isso sozinho.
— Bem, não posso administrar a propriedade Belvoir sozinho. Você é quem tem poder de decisão. — Ele suspirou e se rendeu. — Um pouco para a esquerda. Agora para cima. Mais um pouco. Não, não. Foi demais.
Chase sofria com o peso do espelho.
— Dá para se apressar, por favor?

— Incline um nadinha para a frente... pronto.

— Não quer demorar mais um pouco? – Chase tirou um pedaço de giz do bolso e marcou o canto. Então baixou o espelho com um gemido de alívio.

— Agora – Barrow disse –, precisamos falar do administrador da terra em Belvoir. Ele pode ser um gênio da rotação de lavouras, mas não consegue escrever um relatório que valha cocô de cabra. Você precisa ir falar com ele e acertar a situação.

Chase verificou suas marcas com um nível e martelou dois ganchos na parede.

— Temos dezenas de outros assuntos precisando de atenção. De qualquer modo, a plantação do verão já está feita.

— Na verdade, a plantação ainda não estava feita quando levantei essa questão. Em fevereiro. Você vem evitando a discussão há meses.

— Eu não venho evitando a discussão. – Ele ergueu o espelho de novo, pendurando-o nos ganchos. – Eu venho evitando meu tio.

— O duque está muito doente, nem vai saber que você está lá.

— Ele vai saber que estou lá – Chase disse em voz baixa. – Ele sempre sabe que estou lá.

Ansioso para mudar de assunto, ele se virou e colocou as mãos na cintura, admirando seu trabalho. A Caverna de Devassidão estava, enfim, completa. Agora era só começar a fazê-la merecer o nome.

— Muito bem – Chase disse. – Em breve vou fazer a viagem até Belvoir.

— Excelente. Vou colocar uma data nessa promessa, espero que você a cumpra. – Barrow levantou da cama, pegou o chapéu e se encaminhou para a porta. – Mas isso vai ficar para amanhã, pois já vou chegar atrasado para o jantar.

— Dê um beijo em Elinor por mim.

— Não vou dar coisa nenhuma – Barrow disse, fechando a porta atrás de si. – Arrume sua própria esposa.

*Isso* não iria acontecer. Mas um matrimoniozinho nunca ficou entre ele e um beijo.

Deus, aquele beijo idiota. Já fazia dias e ele ainda lembrava do gosto de Alexandra tão bem quanto lembrava do próprio nome. Fresca e doce, como água sorvida diretamente de um riacho na montanha.

*Chega.*

Ele saiu do retiro pela cozinha, trancando a porta atrás de si, e subiu a escada até seu quarto, com a intenção de se trocar para a noite.

Ele ainda não tinha chegado ao primeiro patamar quando um grito penetrante o fez parar. A ele se seguiu um berro de gelar o sangue.

Não um berro infantil, mas o de uma mulher – e vindo da direção do quarto das crianças.

*Alexandra.*

Ele subiu correndo os últimos lances da escada, parando no terceiro patamar para respirar. O silêncio era ominoso.

Bom Deus, as meninas a mataram.

Ele subiu o último lance em disparada, correu pelo corredor e escancarou a porta do quarto das meninas, preparando-se para ver o corpo exangue de Alexandra esparramado no chão.

A cena que o recebeu, contudo, era qualquer coisa, menos inanimada.

– Preparem o canhão.

Elas não repararam na entrada dele. Chase usou os momentos seguintes para observar o quarto das crianças. Pelo menos aquilo tinha sido um quarto de crianças. Ele não sabia bem no que tinha se transformado desde o funeral de Millicent logo cedo naquela manhã.

As camas das garotas tinham sido colocadas lado a lado, com uma distância de poucos passos entre elas. As cortinas tinham sido retiradas das janelas e penduradas nos pilares das camas. Parada em meio a isso tudo, Daisy espiava através de uma luneta feita de um cone de papel, e Rosamund brandia um objeto curvo que não lembrava outra coisa que não um sabre.

Millicent estava sentada na cama em frente, usando um chapéu de marinheiro feito de papel e, como sempre, exibindo um sorriso perturbador.

Rosamund cortou o ar com sua lâmina.

– Fogo! – ela exclamou.

Atrás delas, a Srta. Mountbatten emitiu uma série dos mais fantásticos ruídos. Um estrondo, seguido de um assobio e uma explosão retumbante que ela arrematou chacoalhando com energia o pilar da cama.

As garotas soltaram um viva animado.

– Acertou em cheio no costado – ela declarou. – Aproximem o navio e preparam-se para a abordagem.

Rosamund puxou um laço da cortina, desenrolando uma "vela" branca do alto do dossel. Enquanto isso, Daisy pegou uma prancha que parecia ter sido arrancada de uma caixa e presa com corda.

– Preparar para o embarque!

Ela pulou de uma cama para outra e aproximou o sabre da garganta de Millicent.

– Entregue o butim!

Chase tinha visto o bastante e pigarreou alto.

As três congelaram. As quatro, se ele contasse Millicent. O quarto ficou em silêncio, a não ser por uma engolida em seco da Srta. Mountbatten.

– O que está acontecendo aqui? – ele perguntou.

Daisy foi a primeira a falar.

– Millicent foi ferida. – Ela passou a "lâmina" pela garganta da boneca. – Lenço, por favor. Ela está perdendo muito sangue.

Chase ignorou o perigo de morte da boneca e atravessou o quarto para ter uma palavrinha com a aia.

– Eu posso explicar – ela disse.

– É melhor mesmo.

– Eu e as garotas... Bem, estamos brincando, entende?

– Você não foi contratada para brincar.

– Mas este é um jogo educacional.

– Educação sobre baionetas?

Ela mordeu o lábio inferior.

– Só em parte.

O olhar dela deslizou para a lousa e ele o seguiu.

– Pirataria? – Ele disse alto a palavra, horrorizado. – Você as está educando em *pirataria*?

– Não é o que está pensando. Eu...

Chase a pegou pelo cotovelo e a levou até a outra extremidade do quarto. Ele precisava de espaço para dar uma bronca de verdade nela.

– Você deveria as estar ensinando como serem damas.

– Elas não estão prontas para serem damas. São crianças. Precisam brincar e esqueceram como se faz.

– Elas precisam aprender as lições. Letras, números, bordar guardanapos com flores deformadas e decorar versículos aborrecidos da Bíblia.

– Elas *estão* aprendendo. – Ela apontou para o mapa-múndi na parede, onde uma série de tachinhas se estendia da Inglaterra até as Índias Ocidentais. – Nós traçamos uma rota até Tortuga. Isso é Geografia. – Dali, ela andou até a lousa e mostrou números empilhados. – Calculamos a distância da viagem e quantos dias seriam necessários para chegar lá. Quantas rações vamos precisar a bordo. Isso é Aritmética. Até mesmo ensinei um pouco de Francês para elas.

Chase leu em voz alta a frase na lousa.

– *"Donnez-nous le butin, ou nous vous ferons jeter par-dessus bord."* O que isso significa?

– Entregue-nos o butim ou terão que andar na prancha – ela traduziu.

– Millicent morreu – anunciou Daisy. – Vamos ter um funeral no mar.

Chase massageou as têmporas.

– Certo. Essa brincadeira terminou. Agora.

– Se eu sou a aia, tenho que poder usar meus próprios métodos.

– Eu sou seu patrão. Você vai fazer o que eu mando.

– Ou o quê? Vai contratar outra das candidatas que estão na fila por este emprego? – Ela fez um gesto exasperado. – Estou tendo sucesso onde todas as outras falharam. Quantas aias você já teve, mesmo?

– Quinze – ele respondeu. – Mas sempre dá para se conseguir a décima-sexta. London está cheia de mulheres que se submeteriam alegremente aos meus desejos.

– Sem dúvida que está. Eu não sou uma delas.

Eles estavam num impasse. E perigosamente próximos. Quem sabe não era que ele não quisesse recuar. Talvez ele não quisesse que ela se afastasse.

Talvez ele a quisesse mais perto.

O pensamento mal tinha passado pela cabeça dele quando seu desejo se realizou. Ele sentiu um aperto nas costelas. Ela soltou um grito assustado.

Num breve instante, eles ficaram de fato muito próximos. Indecentemente próximos. Peito encostado no peito. Se não fossem algumas camadas de tecido... essa proximidade significaria pele com pele.

Deus.

Aturdido, ele tentou recuar um passo, para se preservar. Uma força resistiu.

– Que diabos?

Suas pupilas travessas desabaram na cama gargalhando.

Ele olhou para baixo. Os dois tinham sido amarrados com um pedaço de corda. Amarrados e presos, ao que parecia. Ao que parecia, enquanto ele estava perdido nos olhos fogosos da Srta. Mountbatten, as garotas conseguiram passar um laço de corda ao redor deles – e então apertá-lo.

– Oh, céus.

– Sua... – Chase se contorceu, tentando se virar para ralhar com elas. Ele só conseguiu esticar o pescoço. – Voltem aqui agora mesmo.

– Daisy – disse Rosamund –, você acha que tem bolo na cozinha?

– Ouvi dizer que tem geleia também.

As garotas deram as mãos e fugiram na direção da porta.

– Não ousem... – Chase pulou na direção delas, arrastando a Srta. Mountbatten consigo. – Voltem aqui, ou eu vou...

Ou ele o quê? Iria trancá-las no quarto? Mandá-las para cama sem jantar? Ele tinha tentado todos esses castigos, sem resultado. Sua fonte de ameaças tinha secado.

— Rosamund! – ele gritou.
— Oh, eu atendo por Sam, agora.
— Sam? De onde isso saiu?
— Do meu nome: Ro-SAM-und.
— Você não pode atender por Sam. É absurdo.
— Não é nenhum absurdo. Pergunte à Srta. Mountbatten. As amigas chamam ela de Alex. Eu quero ser chamada de Sam. – Ela fez um gesto para Daisy. – Venha. A cozinha está só esperando para ser saqueada. Quem sabe tem pudim.

Elas sumiram, batendo a porta na passagem.

## Capítulo doze

Chase se contorceu dentro do laço, tentando se soltar. Seus movimentos, contudo, pareciam só deixar a corda ainda mais apertada.

Para piorar a situação, todo aquele contorcionismo começou a criar outros problemas. Problemas do tipo homem-viril-com-um-pau-funcionando.

*Fique calmo*, ele disse para si mesmo. Aquela estava longe de ser a primeira vez em que ele lidava com uma ereção indesejada. Chase sabia como acalmá-la.

*Críquete. Pense em críquete. É o que dizem, não é?*

Infelizmente, Chase não entendia muito de críquete. Seu conhecimento a respeito começava e terminava em bolas pesadas e bastões compridos e rígidos – o que não era lá muito útil no momento.

– Como diabos elas conseguiram fazer isto? – ele perguntou.

– Diferentes tipos de nós com cordas fazem parte do curso de pirata.

Chase revirou os olhos.

– Claro que sim.

– Essa é uma habilidade essencial do marinheiro – ela disse, como se fosse uma desculpa aceitável. – Vou nos tirar desta num instante. Até aqui elas só aprenderam os tipos mais simples, e cometeram o erro de me deixar com uma das mãos livres para desamarrar o nó. – Ela moveu a mão livre pela corda que os prendia. – Agora, onde está o nó?

– Na minha lombar, infelizmente.

Ela passou o braço ao redor dele o máximo que conseguiu, ficando como se estivessem abraçados.

– Só mais um pouco... arrá! – Os dedos dela delinearam o contorno do nó junto à coluna lombar dele. – Um simples nó direito. Vou soltar num instante, se eu conseguir... encontrar o ângulo... certo.

Ela se movia para cima e para baixo, deslizando contra o corpo dele na tentativa de achar uma posição para manipular o nó. Se ele tinha alguma esperança de acalmar sua crescente ereção, ela rapidamente evaporou.

O críquete não podia salvá-lo agora, a menos que lhe dessem com o bastão na cabeça.

⭐

Alex sentiu. A vara grossa, dura, latejante e crescente em sua barriga. Seus dedos congelaram onde estavam. Ela já se sentia sufocada pelo cheiro e pelo calor, por aquela parede sólida que era o peito dele. Mas isto? Aquela prova crua e inconfundível de que ele sentia o mesmo? O cérebro dela começou a girar.

Graças aos céus ele era tão alto. Pelo menos ela estava com a face vermelho-escarlate junto ao colete dele, e não ao rosto.

*Ignore*, ela disse a si mesma. *Pense em navegação celestial.*

Mas era difícil ignorar aquele membro intumescido, cujo tamanho acrescentava uma distância inconveniente entre eles, dificultando ainda mais para Alexandra desfazer o nó. Ela teria dificuldade para soltá-lo com apenas uma mão.

– Acho que devemos conversar.

– Isso – ela se apressou a concordar. – Vamos conversar.

– Então, seus amigos a chamam de Alex.

– É mais simples. Alexandra é um nome muito comprido. E seus amigos o chamam de Chase, eu imagino.

– É Charles, na verdade. Mas desde a escola atendo por Chase.

– Ah, então foram seus colegas que lhe deram o apelido.

– Não, fui eu que escolhi.

– Você escolheu seu próprio apelido? – Ela riu consigo mesma. – Isso é um pouco patético, sinto dizer.

– O nome não se encaixava no meu estilo de vida. Charles é sem graça. Chase parece mais aventureiro. Excitante. Nenhuma mulher grita "Oh, Charles! Isso, Charles!" na cama. Você gritaria?

– Ahn...
– Esqueça que eu disse isso.
Alexandra podia tentar, mas duvidou que conseguiria.
– Conte-me sobre a sua educação – ele pediu.
– Minha educação?
– Lições aborrecidas, salas de aulas deprimentes. Se teve professoras carrancudas, cheia de rugas, de dentes tortos, eu adoraria que me contasse delas neste momento. Detalhadamente.
– A professora que eu menos gostava não era velha nem feia. Na verdade, ela era bem bonita, mas nos espancava por mau comportamento.
– Sério – ele suspirou, gemendo baixo.
– Uma batida ardida com a régua, bem no traseiro.
– Pensando bem, não vamos conversar.
Ela conseguiu pegar uma fibra da corda com a unha.
– Acho que estou progredindo.
– Graças a Deus – ele suspirou.
– Não sei se vou conseguir soltar sem um pouco de folga. Você consegue se aproximar mais um pouco de mim? Um instante só. Preciso apenas de um dedo.
Ele emitiu um ruído esganado.
– Já que você precisa... mas ande logo. Do contrário vamos nos mover um palmo na direção errada.
– O quê?
– Deixe para lá.
Alexandra se aproximou, virando a cabeça de modo que sua bochecha encostasse no peito dele. Reynaud encaixou o queixo, pesado e angular, sobre a cabeça dela. Os batimentos do coração dele soavam nos ouvidos e ecoavam no ventre dela.
Por um momento ela se esqueceu do nó. E do quarto em que estavam, das crianças e de qualquer outra coisa no mundo que não fosse o corpo duro, esguio e másculo de Chase Reynaud. Ela estava agarrada a ele como um marinheiro se agarra ao mastro durante uma tempestade. E então a mão dele a segurou pelo quadril, puxando-a mais para perto. Como se fossem amantes abraçados.
Ele soltou uma respiração trêmula. A expiração deu a ela espaço suficiente para trabalhar. Ela enfiou os dedos trêmulos no laço da corda, então puxou.
Pronto. O nó estava desfeito. Assim como ela.

Eles não estavam preparados. Apertados como estavam, tinham a estabilidade de pinos de boliche. A liberação repentina fez com que caíssem, e a mão dele, ainda segurando o quadril dela, a levou consigo.

Alex caiu sobre ele quando atingiram o chão com um baque. Ele amorteceu a queda, absorvendo a maior parte do impacto.

– Ufa.

Alexandra se levantou nos cotovelos.

– Você se machucou?

– Não.

– Mas bateu a cabeça. – Ela tocou o crânio dele. – Diga algo.

– Ai.

Ela riu, ao mesmo tempo aliviada e nervosa.

– Agora eu sei como aquela droga de boneca se sente! – ele exclamou.

– Está doendo muito?

– Amanhã vai doer. No momento estou bem.

– Tem certeza? Talvez eu deva...

– Alexandra. – Ele a segurou pelo queixo e a fez fitar seus olhos. – Basta.

Nossa. O som de seu nome nos lábios dele, naquela voz vigorosa, rouca... Ele ainda segurava o quadril dela.

– Sei que você não aprova a brincadeira de pirata, mas foi o único modo que encontrei para me comunicar com elas. Daisy está com dificuldades em suas aulas. Ela mal sabe ler. Rosamund é tão protetora com a irmã. O instinto dela é me afastar para não correr o risco de se magoar. Elas precisam de paciência. – Alex fez uma pausa. – Mais do que isso, elas precisam se sentir amadas, em segurança.

– Já disse para você que não posso dar isso a elas.

– Você poderia se tentasse.

– Pensei que tinha entendido no primeiro dia. Sou uma triste decepção. Uma péssima desculpa de cavalheiro. Um homem incapaz de compreender a importância de meias.

– Mas você também é um homem que segura a mão de uma garotinha e faz um discurso no funeral da boneca dela todas as manhãs. Um herdeiro de duque que constrói, com suas próprias mãos, bancos aconchegantes nas janelas e prateleiras para suas pupilas órfãs.

– Como sabe que fui eu?

– Adivinhei. Lá embaixo você mesmo estava pendurando os painéis. A propósito, obrigada pela minha varanda. Você é bom com as mãos.

– E você não sabe da missa a metade – ele grunhiu, pegando o traseiro dela e apertando.

Um arrepio elétrico se espalhou por ela. Após percorrer velozmente todo seu corpo, a sensação se reuniu em seus mamilos, deixando-os intumescidos e formigando.

– Está vendo? Não desperdice seu tempo tentando me "consertar". É uma causa perdida. – Em seguida ele murmurou, quase baixo demais para ela ouvir: – Eu sou uma causa perdida.

Uma causa perdida?

Esse não era o tipo de conclusão a que uma pessoa chegava sozinha. Alguém tinha contado uma mentira para ele, gravando-a não só em sua mente, mas também em sua alma. Quem quer que tivesse feito isso merecia o desprezo de Alexandra – em nome de Rosamund e Daisy, e também em nome do próprio Chase Reynaud. Ela não podia permitir que uma falsidade dessas passasse incólume.

– Chase. – Ela suavizou o toque, alisando o cabelo dele para trás. – Ninguém é uma causa perdida.

Os olhos dele exibiram um conflito de emoções. Dúvida, misturada a um anseio desesperado por acreditar. Negação, lutando contra o desejo. Distanciamento, amarrado à atração.

*Não fique imaginando coisas,* ela disse para si mesma. O mais provável era que os olhos dele apenas refletissem as emoções confusas dela própria.

A mão no traseiro dela ficou firme como uma decisão. Ela prendeu a respiração. Num átimo, ele a virou de costas, prendendo-a debaixo de si.

– Escute aqui – ele disse. – Se eu fosse um homem minimamente decente, um que pudesse se importar com qualquer outra pessoa que não ele mesmo, eu não estaria deitado em cima de uma aia, no chão do quarto das crianças. Se você se recusa a acreditar nisso, vou ter que lhe ensinar uma lição.

Alex lhe deu um sorriso provocador.

– E se eu lhe ensinar uma primeiro?

Alex o beijou na testa.

Ele retribuiu o beijo, mas nos lábios.

E a paixão do ato tirou o fôlego dela.

# Capítulo treze

Chase a beijou com vigor, para provar o que ele era. Não houve afeto no ato, apenas punição. Uma boa surra com a língua, em vez de uma carícia.

Se todo mundo ia brincar de pirata, ele se juntaria à brincadeira. Piratas tomam. Piratas roubam. Eles pilham.

Ele desceu o beijo pelo pescoço dela – seu pescoço delicado, lindo – enquanto passava a mão por todo seu tronco, delineando o contorno de seu corpo por cima da musselina fina do vestido.

O abraço que deveria ser uma punição tornou-se carinhoso demais.

– Alexandra – ele sussurrou.

As amigas a chamavam de Alex, mas ele não era seu amigo. Chase Reynaud era seu patrão, seu superior na sociedade, um mulherengo experiente. Um que poderia possuí-la ali mesmo, naquele instante, no piso rangendo da sala de aula, em meio aos livros, lousas e giz espalhados.

Mas ele só queria beijá-la durante horas. Dias.

Cada mulher era única, mas ela era tão *diferente*. Estranha e corajosa e inteligente. Ela o tornava diferente, também. Para começar, ele queria ir mais devagar, ter tempo para descobrir e notar tudo a respeito dela, em vez de se esconder de si mesmo.

A língua dela acariciava timidamente a dele. Cada passada leve, provocadora, era uma dádiva. A primeira vez que ela provava a paixão, e era com ele. Livre. Doce.

Nos braços dela, Chase quase conseguia sonhar que merecia aquilo.

*Ninguém é uma causa perdida.*

Ele nunca quis acreditar tanto em algo. Mas ela não sabia – não podia começar a compreender – o quanto ele tinha se afastado do caminho do respeito.

Chase estava tão perdido que tinha saído do mapa.

Ele interrompeu o beijo e se ergueu num cotovelo, pois precisava vê-la. Ela o fitou com seus olhos pretos, vítreos. Os lábios dela estavam inchados e vermelhos dos beijos.

– Por Deus, você é linda.

A pele dela esquentou com um brilho tímido. Se estava linda um momento atrás, agora Alexandra estava radiante.

E ele muito encrencado.

O momento foi arruinado, de repente, pelo som de duas garotinhas subindo ruidosamente a escadaria. Ele e Alexandra mal conseguiram se colocar de pé e alisar as roupas antes de Rosamund e Daisy irromperem no quarto. Cada garota tinha um pedaço de bolo numa mão e um pãozinho cheio de geleia na outra.

– Ah. – Daisy usou a manga para limpar geleia da boca. – Vocês escaparam.

– Vamos praticar os nós e fazer certo da próxima vez – Rosamund disse para a irmã.

– Não vai haver próxima vez – Chase disse, severo. – Chega de pirataria. – Ele fez um gesto mostrando a decoração pirata. – Na verdade, amanhã eu vou...

– Ele vai levar todas nós a um passeio – Alexandra interveio.

– Um passeio? – Rosamund pareceu incrédula.

Chase também não conseguiu acreditar.

– Pensei que não pudéssemos passear – Rosamund disse.

– Você está absolutamente correta – Chase respondeu. – E é por isso que eu...

– Que ele vai abrir uma exceção amanhã – ela completou.

Oh, sério, mesmo? Esse foi um ato desavergonhado de traição.

Daisy comemorou pulando na cama.

– Aonde nós vamos?

Chase se empertigou.

– Eu não vou...

– O Sr. Reynaud não vai contar. – A aia traiçoeira o interrompeu mais uma vez. – Ele disse que é para ser uma surpresa. Não é maravilhoso?

Chase a fuzilou com os olhos.

Ela retribuiu com um sorriso.

Ele saiu do quarto praguejando, exasperado.

Muito bem. Se elas queriam um passeio, ele lhes providenciaria um. E seria altamente educacional.

※

– A Torre de Londres – Alexandra disse. – Uma ótima escolha. Tanta história. Podemos ver as joias da coroa.

– Joias não estão na programação. Tenho uma lição de história específica em mente.

Eles foram diretamente à Torre Beauchamp, onde Chase – ela não conseguia mais pensar nele como o Sr. Reynaud – fez com que subissem uma escada de pedra em espiral. Eles emergiram num piso em formato de flor. Um espaço redondo no centro, com pequenas alcovas saindo dele, como pétalas.

Daisy entrou e saiu de cada alcova, deslizando em círculos.

– Que lugar é este?

– É uma prisão – Rosamund respondeu. – O meio aqui era para os carcereiros, e esses lugares em que você está dançando eram as celas.

– Como você sabe? – Daisy perguntou.

– Esta é a Torre de Londres, bobinha. Se não acredita em mim, pergunte aos prisioneiros que deixaram suas marcas. – Rosamund apontou para as letras entalhadas na parede. – Veja, aqui. – Ela mostrou outra marca, um pouco mais alta. – E aqui.

– Estão em toda parte! – Daisy exclamou, girando o corpo.

Inscrições gravadas à mão ocupavam cada pedaço de pedra que um homem conseguisse alcançar. Às vezes eram apenas iniciais ou uma data. Em outros lugares, cruzes elaboradas tinham sido feitas em baixo-relevo. Versículos da Bíblia se estendiam por metros nas paredes.

– Por que eles fizeram isso? – Daisy perguntou. – É muita falta de educação.

– Eles eram *criminosos*! – Rosamund exclamou. – Não se preocupavam com bom comportamento.

– As pessoas querem deixar sua marca no mundo – Alex disse. – É da natureza humana. Alguns são lembrados por suas realizações, ou por suas virtudes. Outros continuam em seus filhos. – Ela deslizou os dedos pelas costas de Daisy ao passar. – E se não tem nada disso para ser lembrado, um homem entalha o próprio nome na parede. Todos nós queremos ser lembrados.

– Oh, mas eles são lembrados. Como criminosos. – Chase estava no centro da sala. – Vocês sabem quem terminava em prisões como esta, garotas? Assassinos. Traidores.

– E piratas. – Rosamund completou com ironia, mostrando aprender a lição de seu tutor.

– Sim. E piratas. Algumas centenas de anos atrás, você seria trazida pelo rio, arrastada até uma destas celas e deixada para apodrecer. Só palha no lugar da cama. Migalhas e sopa rala, nada de carne. Você ficaria amontoada com outros prisioneiros imundos, coberta de sujeira, piolhos, ratos, doenças.

– Doenças! – Daisy vibrou. – Quais?

– Doenças muito, muito horripilantes – ele respondeu. – E não *vibre*. Elas eram uma desgraça. Agora, se isso tudo não fosse o bastante, sabe o que acontecia quando você era condenado no tribunal? – Ele passou o dedo pela garganta, sinalizando degola.

– Decapitação – Daisy disse, assombrada.

– Ali mesmo, no pátio. Isso se você fosse nobre. O restante era enforcado, e tinham a cabeça exposta em lanças ao longo do rio, para servir de aviso. Todo aquele sangue escorrendo. Os olhos sendo comidos por corvos.

Com as mãos às costas, Alex se aproximou do patrão.

– Com certeza devem existir modos menos pavorosos de se ensinar História, Sr. Reynaud.

– Com certeza devem existir métodos menos irritantes de ensinar Geografia do que por meio de pirataria.

Ela não tinha resposta para isso.

– Sinta-se grata por eu não ter escolhido um passeio até a Frota. – Ele cruzou os braços sobre o peito e se dirigiu às garotas: – Agora. Espero que esta pequena visita tenha curado o comportamento criminoso de vocês duas. Não vai haver mais roubo, pirataria nem... *bonequicídio*. Não a menos que vocês queiram uma cena como esta no seu futuro.

– No nosso *futuro?* – Rosamund olhou para a cela antiga refletindo. – Trancadas num quarto no alto, comendo apenas migalhas e infectadas por doenças. Parece com a nossa vida agora. É melhor a gente viver algumas aventuras em alto-mar enquanto podemos. – Ela fez um gesto para Daisy. – Venha. Vamos ver os animais.

Chase inclinou a cabeça para trás e soltou um grunhido exagerado de desespero.

– Esperem. – Alex enfiou a mão na bolsa. – Vão precisar de um xelim cada para o ingresso.

Rosamund fez tilintar duas moedas na mão.

– Nosso tutor já nos deu as moedas. – Ela deu um sorriso maroto olhando para o bolso dele. – Modo de falar.

Daisy correu para alcançar a irmã, cantarolando o caminho todo enquanto descia a escadaria.

Alex fez menção de ir atrás delas. Tinha dado apenas dois passos quando a voz grave dele a deteve.

– Ainda não, Srta. Mountbatten.

– É melhor eu seguir as garotas. Não é seguro deixá-las sem supervisão.

– Elas vão ficar bem – ele disse. – Rosamund não vai perder Daisy de vista.

– Oh, sei que as garotas vão ficar bem. – Ela lhe deu um sorriso fingido de despreocupação. – É com os leões e tigres que estou preocupada.

– Você não vai a lugar nenhum. – Ele a puxou para uma das alcovas de pedra. – Preciso dar uma palavrinha com você.

Ele precisava dar uma palavrinha. Que palavrinha, ela queria saber. Seria possível que fosse "linda"? Porque essa era a única palavra em que ela tinha conseguido pensar desde a noite anterior.

*Por Deus, você é linda*, ele tinha dito.

*Ele disse que você é linda!*, o cérebro dela cantou. E continuava cantando. *Linda. Liiinda. Linda, linda, linda, linda. L-I-N-D-A-Quem? Você. Ele acha você linda. Tão-tão linda.*

– Eu poderia ter-lhe dito que este passeio não iria ocorrer do modo que você esperava.

– Desde que a contratei, Srta. Mountbatten, nada está acontecendo do modo que eu espero.

– Tente ver o lado positivo. Rosamund e Daisy são garotas corajosas, inteligentes, engenhosas. Mesmo que as travessuras pudessem ser arrancadas delas a palmadas – e desconfio que a palmatória quebraria primeiro –, o espírito delas também seria destruído. Que tragédia.

– Ah, sim. Uma tragédia, mesmo.

O tom de ironia dele não a enganou. Alex estava começando a ver o carinho que ele sentia pelas pupilas. Caso não se importasse com elas, Chase nem se daria ao trabalho de tentar.

– Elas são *crianças*, têm uma curiosidade natural a respeito do mundo, e um desejo de aprender. Só precisam de encorajamento e oportunidade. Liberdade de irem atrás de seus interesses. Você não está interessado em melhorar a cabeça delas?

– Estou preocupado, antes de mais nada, com a melhoria do comportamento delas. As duas precisam aprender a transitar na sociedade.

Meu dever, como tutor, é fornecer a Rosamund e Daisy um futuro seguro, confortável. A melhor alternativa para uma jovem conseguir isso é casar, e casar bem.

Alex arqueou uma sobrancelha.

— Do mesmo modo que seus pais casaram bem?

— Oh, vou garantir que elas se deem melhor que meu pai. É difícil que elas consigam se dar pior. Mas, em geral, sim. É como funciona a aristocracia inglesa.

— Talvez a aristocracia inglesa precise melhorar.

Ele emitiu um som de deboche.

— Fico lisonjeado por você pensar que tenho o poder de mudar o mundo.

— Eu não acho que *você* tem o poder de mudar o mundo — ela respondeu. — Eu acho que Rosamund e Daisy têm. Se tiverem a chance.

— É mesmo? — Ele se aproximou. — E como é que *você* planeja mudar o mundo, Srta. Mountbatten?

— Eu não saberia lhe dizer, Sr. Reynaud. No momento estou ocupada demais mudando o céu.

Após fitá-la no fundo dos olhos por um instante ou dois, ele soltou um suspiro dramático.

— Você é o pior exemplo de propaganda enganosa. Eu fui levado a acreditar que estava contratando uma rabugenta inveterada. Então fiquei sabendo que você é *admirável*, e *corajosa* e *interessante*.

Bem, Alex pensou, aquela canção estúpida em seu cérebro agora tinha quatro palavras.

— Eu gostaria que você não dissesse coisas assim — ela gaguejou.

— E eu gostaria que você não me fizesse pensar coisas assim. Então estamos quites.

— Nós deveríamos ir atrás das garotas.

— Deveríamos mesmo.

Nenhum dos dois se moveu.

Alex mordeu o lábio.

— Mas, em vez disso, nós vamos nos beijar, não vamos?

Ele a tomou nos braços.

— Você tem toda razão, nós vamos.

## Capítulo catorze

Chase a beijou com o fervor desesperado de um homem a caminho da forca. Agarrando-a e gemendo, apertando-a contra a parede. Ele envolveu o seio dela – a elevação quente, delicada, que Chase sentiu derreter-se nele no dia anterior. Ela o deixou tão duro naquele momento, mas seu pau parecia determinado a se superar hoje. Ela passou a perna por cima da dele. Chase foi descendo beijos pelo pescoço de Alexandra – um pescoço lindo, impossivelmente delicado – até que o colarinho da jaqueta dela impediu sua progressão.

Ele sentiu um peso na consciência. A maioria das pessoas pensava que ele não tinha consciência, mas tinha. Ela emergia com a mesma frequência que a ilha perdida de Atlântida, mas ele possuía uma, bem lá no fundo.

E essa consciência estava berrando com ele no momento.

Mas então ela arqueou as costas, apertando o seio na mão dele e emitindo um gemido suave de súplica.

Consciência? Que consciência? Tranquem as celas da prisão e joguem fora a chave.

Deus, esse lugar fazia alguma coisa com ele.

A infâmia de séculos pesava no ar. Fantasmas aprisionados chacoalhavam suas correntes. Ele sentiu os ecos do sofrimento passado. O peso da culpa. Arrependimento opressor. Fome, desejo e solidão. Todas as mesmas emoções malditas que o mantinham prisioneiro todas as noites.

Chase tinha passado anos trancado dentro de si mesmo. E com frequência demasiada, ter uma mulher nos braços parecia-lhe seu único modo de fugir.

Mas isso... isso era diferente. Alexandra era diferente. Este não era um momento que ele iria querer apagar da memória mais tarde. Pelo contrário. Ele desejava gravar o formato dos corpos deles, entrelaçados, na pedra, em meio a todos os nomes e datas e versículos da Bíblia, deixando uma marca que o tempo não conseguiria apagar.

O que ela tinha dito? Que todos nós queremos ser lembrados? Bem, Chase não iria inventar uma carruagem movida a vapor. Nenhum monumento seria erguido para seus feitos heroicos, e ele tinha jurado não ter nenhum filho. Mas mesmo que tudo que sobrasse dele fosse esse abraço, seria um legado do qual ele lembraria com orgulho.

*Neste local, em 1817, o Sr. Chase Reynaud deu à Srta. Alexandra Mountbatten o beijo mais apaixonado, mais erótico, mais profundo da história.*

Enquanto a beijava com ardor, ele a ergueu, tirando os pés dela do chão e prendendo seu quadril na parede com o dele. Ela o fitou, seus pulmões se esforçando para respirar, os olhos vítreos. Ele colocou a mão entre os corpos, encontrando os botões da jaqueta dela.

Chase começou a soltá-los um por um. A tarefa foi fácil e ele compreendeu o porquê. Ela só tinha aquela jaqueta, que tinha usado tantas vezes que as casas dos botões ficaram frouxas. Ele supôs que essa evidência tangente da pobreza dela fosse conveniente. Muitos homens da mesma posição social que ele viam a pobreza da mulher como permissão para abusar de seus favores. Contudo, Chase não sentiu o mesmo. Enquanto soltava o último botão, ele se sentiu irritado e protetor.

Ela merecia mais do que isso. Uma mulher solteira, jovem, da classe dela vivia sob ameaça, e uma jaqueta puída era deplorável como proteção. Ele quis tirar a peça de roupa dela, jogá-la de lado e oferecer-se como protetor.

Chase não era grande coisa, mas podia se pôr entre o corpo dela e o mundo.

Ele envolveu o seio por cima da musselina do vestido, encontrando o mamilo que acariciou com o polegar, fazendo-o endurecer.

– Chase.

O tom de súplica na voz dela o enlouqueceu. Ele abriu mais a jaqueta, afastando o lenço branco virginal, então enfiou os dedos por baixo da musselina do vestido. Chase conhecia as camadas de roupas de uma mulher tão bem quanto as suas próprias. Melhor do que as dele, na verdade, já que Chase tinha um criado pessoal para ajudá-lo com suas roupas.

Ele desceu uma das mangas do vestido pelo ombro. A estratégia lhe deu espaço suficiente para enfiar a mão por baixo do espartilho duro e da roupa de baixo de linho. Com um movimento hábil, bastante praticado, ele levantou o seio, libertando-o do espartilho.

Os olhos dela palpitaram, fechando-se. Ela mordeu o lábio, engolindo um suspiro. Ele teria gostado de ouvi-la gemer e gritar de prazer. Mas havia algo no silêncio que era tão erótico quanto, se não mais.

Ofegante, ele envolveu o peso suave na mão. Acariciando-o, adorando-o. Ela era tão pequena, com uma estrutura tão delicada. O coração dela batia como o de um pássaro na mão dele.

Segurar aquele seio era como segurar o coração dela na mão.

E isso o aterrorizou.

Proteger o corpo dela era apenas um impulso masculino básico. Mas ele não podia assumir a responsabilidade pelo coração de Alexandra.

Chase interrompeu o abraço com uma brusquidão incomum, recolocando-a no chão. Um olhar desnorteado tomou o rosto dela enquanto ele arrumava-lhe as roupas. Ele lamentava ter causado confusão ou decepção, mas dessa vez tinha ido longe demais.

Na verdade, ele tinha se aproximado demais.

– Alexandra – ele pigarreou –, isso...

– Nunca aconteceu – ela completou. – Eu sei. – Os lábios dela se curvaram num sorriso, mas seus olhos não acharam graça. Ela ficou magoada.

Ele se sentiu pequeno o bastante para desaparecer numa fenda da parede. Bem, ela não deveria ficar surpresa. Alex não tinha ilusões quanto ao tipo de homem que ele era. Pelo menos não quando se tratava de mulheres. Ela teve amplas evidências quanto ao caráter mulherengo dele desde o começo.

Aparentemente, era Chase quem precisava acordar.

Muito bem, então. Ele sairia pela cidade e encontraria uma mulher linda, sofisticada e disposta, que levaria para seu retiro, onde testaria o colchão novo – e se livraria do desejo de apalpar a aia como um cachorro babão.

Era o que ele faria esta noite.

{ *Capítulo quinze* }

— Deem uma olhada em Marte.
Era uma noite clara e escura, e Alexandra tinha convidado as garotas para observar estrelas com ela, bem depois do horário em que deveriam dormir. Uma lição de navegação celestial, foi como ela chamou. Na verdade, foi um suborno para que elas tomassem banho e vestissem suas camisolas, depois escovassem e trançassem os cabelos, que cheiravam a limpeza e frescor. Quando Alexandra se curvou sobre o ombro de Daisy para ajudá-la a encontrar o planeta vermelho, ela sorveu o aroma inocente. Uma emoção calorosa, sensível, se espalhou por seu peito.

Em poucas semanas ela tinha desenvolvido afeto por essas garotas. Profundamente. Ao ajudá-las, era como se Alexandra conseguisse voltar no tempo e entrar em contato com sua versão mais nova, tornada órfã há pouco, e abraçar apertado essa garota, transmitindo-lhe segurança. *Não tenha medo. Eu sei que vai ser difícil. Muito difícil. Mas você é mais forte do que pensa, e tudo vai dar certo no fim.*

Mas ao envolver os ombros de Daisy e encostar o nariz na cabeça bem-cheirosa da garota, Alex sentiu um pouco de medo. Quando elas fossem para a escola, haveria alguém lá para abraçá-las e tranquilizá-las?

— Estou vendo – Daisy disse. – Está todo borrado.

— Mesmo? Deixe-me ver. – Alex tomou o lugar da pupila na ocular. – Pode ser que eu precise limpar a lente.

Antes que Alex conseguisse ver direito, contudo, elas ouviram o som de uma carruagem parando ao lado da casa.

Uma olhada rápida pela janela confirmou a suspeita de Alexandra. O Sr. Reynaud tinha voltado para casa em sua carruagem – e não estava sozinho. Risos leves, femininos, flutuaram no ar noturno e foram trazidos, sem serem convidados, pela janela aberta. Alex quis esmagar aquela risada como se fosse um mosquito incômodo.

– Oh, Reynaud – a mulher disse, manhosa. – Você é um diabo.

*Blerg*.

Ele ofereceu a mão para ajudar a mulher a descer da carruagem alta. Quando desceu, a mulher "caiu". O Sr. Reynaud a pegou nos braços.

Alex revirou os olhos ao ver artimanha tão falsa.

Ela estava tão distraída observando-os que não percebeu que tinha companhia na observação. Rosamund tinha virado o telescópio para a rua.

– Alvo inimigo avistado a estibordo. E, u-lá-lá, como ela é chique.

– Me dê isso aqui. – Alex assumiu o controle do telescópio e olhou. Após ajustar o instrumento, conseguiu ver a mulher como se estivesse a um palmo de distância. A mulher tinha cabelo dourado preso num penteado elegante para cima, e usava um vestido roxo de cetim com luvas até os cotovelos combinando. Joias brilhavam em seu pescoço.

Daisy se inclinou sobre o parapeito.

– Ela é muito linda.

– Cuidado, Daisy – Rosamund murmurou. – Ou Millicent pode contrair sífilis.

Alex ficou chocada.

– Você não devia falar isso – ela sussurrou. – Não devia nem *saber* o que é isso.

– Eu afugentei todas as aias e fui expulsa de três escolas, mas isso não quer dizer que não aprendi nada. – Rosamund sorriu. E você mesma nos disse que 10 anos é idade suficiente para ser aprendiz num navio. E um aprendiz aprende muito mais que isso.

Da rua lá embaixo, Alex ouviu um murmúrio masculino de sedução. Ela não conseguiu distinguir as palavras, mas o efeito pretendido era óbvio.

Ela sentiu a indignação arder-lhe no peito. O *patife*. Como o Sr. Reynaud ousava desfilar suas amantes bem debaixo do nariz de duas crianças inocentes? Bem, talvez uma criança inocente e Rosamund.

– Agora chega. – Alex fechou o telescópio. – Para a cama, vocês duas.

As garotas bateram o pé e imploraram.

— Ainda não.

— Nós continuamos outra noite. — Alex tentou conduzi-las para o quarto. — Não posso permitir que testemunhem isso, e...

Outra risada vinda da rua abaixo.

Alex estremeceu com o som.

— Eu não consigo. Para a cama, vocês.

— Ainda não. — Daisy disse com firmeza. — Nós somos piratas ou não? Piratas não recuam.

---

Chase tentou se soltar dos braços de Lady Chawton. Ela tinha tomado algumas taças a mais de champanhe e seu abraço era cheio de dedos e nenhuma dignidade.

— Eu — ela começou, num suspiro sedutor — vou fazer as coisas mais malucas com seu corpo. A noite toda.

— A noite *toda*?

— Isso.

Chase suspirou. Ele não tinha "a noite toda" dentro de si. Seu plano era "parte da noite".

Nesse momento, aliás, ele estava inclinado a "esta noite não".

Aquilo não estava saindo do jeito que ele esperava. Winifred era linda, sem dúvida. Inteligente, também. Fazia anos que eles flertavam em bailes e jantares, levando a atração mútua que sentiam em uma fervura branda. Ainda assim, ele nunca fez um avanço. Ao pensar nisso, refletiu — e, Deus, era uma coisa preocupante de se admitir — e chegou à conclusão que a estava guardando para uma ocasião especial.

Ou, neste caso, para uma emergência. Ele nunca precisou tanto de uma boa e vigorosa sessão de exercício na cama.

E agora ele estava prestes a cancelar tudo. Chase não estava no clima, por algum motivo.

Não. Por *um* motivo.

Um motivo pequeno, na verdade. Com cabelo preto e olhos que devoravam estrelas. Um motivo que possuía o toque mais macio que ele já tinha sentido, e uma voz que se desenrolava suavemente no ar, como fumaça.

— Reynaud?

Ele voltou à realidade.

Winifred fez beicinho.

– Vamos entrar. – Ela se aconchegou nele e deu uma estremecida dramática. – Está frio.

A noite era atípica de tão quente, mesmo para julho.

– Acho que você pegou um resfriado, querida. – Ele sinalizou para o cavalariço ficar, em vez de levar os animais para o estábulo. – Se está doente, é melhor eu a levar para casa. Nós podemos fazer isto outra noite.

– Não seja chato. – Ela passou os braços ao redor do pescoço dele e balançou como um pêndulo nos braços de Chase. Um pêndulo movido a opiáceos. – Você me fez esperar tanto tempo por isto. Tempo demais.

– O que são alguns dias mais? A espera vai tornar nosso encontro ainda mais doce. – Ele tentou tirar os dedos enluvados da nuca, mas quando conseguia soltar uma mão, a outra o agarrava. Ele começou a se perguntar se aquelas luvas roxas eram equipadas com ventosas de polvo.

– Como você é cruel com seu joguinho. – Ela se inclinou para frente, caindo no peito dele, e sussurrou, sedutora, na orelha dele: – Cuidado, ou também vou ser cruel. – Com o dedo envolto em cetim, ela delineou as curvas da orelha dele. Uma sensação agradável, mas não enviou raios de desejo para seu baixo-ventre. Então ela *enfiou* o dedo na orelha dele. Um bom pedaço, até a articulação. E começou a cutucar e remexer.

– Você gosta disso, menino travesso? – ela murmurou.

Na verdade, não, ele não gostava.

Chase bateu na mão dela, deslocando o dedo do seu canal auditivo com um estalo.

Aquilo era demais. A noite estava encerrada.

Primeiro, Winifred estava bêbada.

Segundo, as iniciativas sexuais dela eram estranhas. Chase não era contra coisas estranhas. Em outros momentos e outros lugares, ele tinha apreciado coisas muito mais estranhas. Mas esta noite, não.

Terceiro, e mais importante, ele não conseguia tirar a Srta. Mountbatten da cabeça. Oh, ele podia tentar extraí-la da sua corrente sanguínea ofegando e suando, mas esse não era seu estilo. Chase gostava de acreditar que respeitava demais as mulheres para fazer amor com uma pensando em outra. Além disso, também tinha seu orgulho. Encontros sem entusiasmo acabariam manchando sua reputação – à qual ele tinha dado um brilho único, polindo-a com as mãos, os lábios e a língua.

Ele pôs as mãos nos ombros dela e a empurrou, aplicando apenas a força suficiente para colocar alguma distância entre eles.

– Escute, Winifred...

Ela o silenciou colocando o dedo nos lábios dele. O mesmo dedo que há poucos momentos tinha estado dentro de sua orelha.

– Nenhuma palavra até estarmos lá dentro, nus, e eu estar com minha boca no seu...

Chase nunca ficou sabendo exatamente onde Winifred pretendia colocar a boca. Antes que a mulher conseguisse concluir seu raciocínio, ela soltou um grito de estilhaçar vidro e começou a balbuciar, em choque.

Frio. Essa foi a primeira sensação decifrável.

Depois do frio, molhado.

Um dilúvio tinha encharcado os dois. Ele empurrou o próprio cabelo para trás com as duas mãos e olhou para cima, avistando Rosamund e Daisy com o tronco para fora da janela lá no alto. Cada garota segurava um balde vazio nas mãos.

– Me desculpem! – Rosamund gritou. – A gente precisava esvaziar os pinicos.

– Ratos demais – Daisy acrescentou, a mão em concha ao redor da boca. – Tem uma infestação a bordo.

– Oh, essas pestinhas... – Chase completou o pensamento com um grunhido. Era melhor elas se esconderem, e rápido, ou ele iria lhes mostrar o que era uma infestação de verdade.

Winifred não parava de guinchar. Seus cachos dourados, antes arrumados artisticamente, estavam agora grudados em seu rosto, tapando seus olhos. Ela os afastou com os dedos enluvados enquanto ainda tremia do susto.

Chase viu a oportunidade e decidiu aproveitá-la. Ele tirou o casaco e o colocou ao redor dos ombros dela, virando-a para a carruagem.

– Lady Chawton vai voltar para casa agora mesmo – ele disse ao cavalariço.

Com o peso da água, e a incapacidade ou falta de vontade dela em ajudar, Chase e o cavalariço precisaram de várias tentativas e uma última *um, dois três empurrar* para colocar a pobre Winifred na carruagem. Chase lutou com nuvens de cetim e tule roxo para enfiar tudo no veículo e fechar a porta.

O cavalariço assumiu o assento do condutor e Chase lhe deu o endereço dela.

– Adorei passar esse tempo com você! – ele exclamou, levantando a mão para se despedir.

Então ele deu meia-volta e abriu a porta.

Quatro lances de escada. Chase pisava em cada degrau com uma lentidão proposital, ominosa, dando àqueles diabretes tempo para escutá-lo chegando e tremer de terror.

– Rosamund e Daisy Fairfax! – ele berrou. – Arrumem suas coisas para Malta!

Contudo, ele nunca chegou ao quarto das crianças. Pois quando alcançou o patamar do terceiro andar, sua marcha da vingança foi interceptada.

Pela Srta. Alexandra Mountbatten.

{ *Capítulo dezesseis* }

Ele parecia um gato molhado, Alex pensou. Um gato molhado, furioso, feroz, selvagem e muito, muito grande. Algo como um tigre, um leão, uma onça ou...

— Srta. Mountbatten — ele rosnou —, faça a gentileza de me dar passagem.

— Espere. — Ela esticou os braços do corrimão à parede, obstruindo o caminho. — Não foi culpa delas.

— Não foi culpa delas? — Ele fez um gesto na direção do teto, borrifando água nela. — Você está querendo dizer que é um mistério? Que culpados desconhecidos estão à solta? Bem, vou chamar o magistrado.

Alex baixou o braço e limpou do rosto as gotas de água impulsionadas pela raiva do Sr. Reynaud.

— Rosamund e Daisy estavam penduradas na janela — ele continuou. — Segurando baldes. Foi, com toda certeza, culpa delas.

— Foi, mas só em parte. Eu estava lá e não fiz nada para impedi-las.

— Você não as impediu. — Ele pronunciou cada palavra separada, como se fossem quesitos numa lista de acusação.

— Não, não impedi. Porque eu... — A coragem dela fraquejou.

*Porque fiquei com ciúme. Um ciúme irracional, indizível, de um modo que fez meus dedos do pé arderem.*

— Porque achei que você merecia — ela disse, erguendo o queixo. — Como ousa conduzir seus encontros amorosos bem debaixo do nariz delas?

— Isso não é da sua conta.

— As crianças são da minha conta. Não pense que elas não sabem que você leva mulheres para aquele... covil libertino.

— Covil libertino? Oh, esse é novo. — Ele passou por Alex e continuou pelo corredor, desaparecendo no que ela imaginou ser seu quarto.

Após um momento de hesitação, Alex o seguiu, irrompendo porta adentro e fechando-a atrás de si. Eles estavam dois andares abaixo do quarto das crianças e na extremidade oposta da casa, mas ela baixou a voz mesmo assim.

— Nós não terminamos de discutir o assunto.

— Não há nada para ser discutido. Eu *sei* que sou um tutor terrível. Eu *sei* que esta casa é um monumento de alvenaria ao escândalo. É por isso que eu a contratei. Você deve ensinar-lhes o comportamento correto. E não me atormentar.

— *Atormentar* você? Quando foi que o atormentei?

— Além deste momento? — Ele lutava com os botões do colete. — Apenas toda hora do dia e da noite desde que entrou pela porta da minha casa.

— Não consigo entender o que você está dizendo.

Ele lhe deu um olhar cético.

— Sério? Então todo aquele rala-e-rola no chão do quarto das crianças e na Torre de Londres não lhe deu a menor pista?

Alex estava começando a entender a estratégia dele — revelar seu desejo físico numa tentativa de esconder o coração e a alma. Ela não se deixaria enganar dessa vez.

— Você disse...

— Eu sei o que eu disse. — Passos largos o levaram até ela. — Eu disse que a ideia de seduzi-la nunca passaria pela minha cabeça. — Ele afastou o cabelo trançado dela e se curvou para suspirar sensualmente em seu ouvido: — Eu menti.

Ele recuou. Ela estava pregada no chão.

— A ideia tinha me passado pela cabeça antes mesmo de eu dizer isso. E, desde então, tantos pensamentos passaram pela minha cabeça que meu cérebro se tornou a encruzilhada da devassidão. Uma avenida de fantasias eróticas. Você está nua em quase todas elas, e desde o incidente na sala de aula, várias fantasias incluem cordas.

Muito bem, então.

Alex precisava de um momento para se recuperar disso.

Talvez dois momentos.

Ou um ano.

Mas ele não lhe concedeu nem um segundo.

– Por que acha que eu trouxe Winifred para casa? Pensei que poderia expulsar certa aia da minha cabeça. – Ele praguejou baixinho. – E veja como isso deu certo. Não consigo nem ter a decência de expulsar você do meu quarto.

A mente de Alex rodopiou. Ele esteve pensando nela tanto assim, e daquele modo? Ela não ousou investigar o sentido daquilo.

– Esse seu plano não parece muito justo com Winifred – foi tudo o que Alex conseguiu dizer.

– Sim, percebi isso. – Ele jogou de lado o colete desabotoado e tirou a camisa molhada pela cabeça, jogando-a na pilha. – Eu estava prestes a mandá-la para casa quando as garotas me encharcaram com... – ele passou as mãos pelo torso definido, brilhante – ...isso, seja lá o que for.

– Água de banho.

– Do banho de quem?

Alex mordeu o canto do lábio inferior.

– Meu.

Ele riu com amargura.

– É claro. Claro que só podia ser do seu. Bem que senti o cheiro de flor de laranjeira.

Água com flor de laranjeira. Ele sabia qual era o *cheiro* dela?

*Não tire conclusões disso,* ela disse para si mesma. Era natural que ele conhecesse seu cheiro. Era provável que ele lembrasse do cheiro de cada mulher que tivesse conhecido, do mesmo modo que um comerciante de vinhos consegue reconhecer cerejas ou lavanda num Bordeaux. Um desses talentos amealhados por meio de experiência vasta e variada.

– Acho que agora entendo como você consegue ser tão insensível com suas pupilas – ela disse. – Pela maneira como você se comporta com as mulheres, com certeza deve ter uma dúzia de filhos ilegítimos que está ignorando.

– Você está errada, não tenho filhos.

Ele pegou uma toalha no lavatório e deu uma boa esfregada no cabelo. Alex ficou boquiaberta, hipnotizada pelo modo como os músculos dos braços dele se contraíam e estendiam.

– Como pode estar tão certo de que não tem filhos?

– Porque tomo um cuidado excessivo para não gerar nenhum.

– Nenhum preservativo ou esponja é tão eficaz.

– É por isso que não faço uso desses métodos. Eu simplesmente não me ponho nessa posição.

– Que posição?

– Qualquer posição que exija inserção do meu... – ele acenou na direção do baixo-ventre – ...membro masculino.

– *Membro* masculino. Estamos falando de alguma sociedade maçônica ou você está se referindo ao seu pênis?

Ele a encarou.

– Nós somos adultos. Se vai falar desse assunto, é melhor usar as palavras corretas. Eu nunca teria imaginado que fosse tão pudico.

– Eu não sou *pudico*. Estou protegendo sua delicada sensibilidade feminina.

– Eu nunca tive dessas coisas – ela disse. – E considerando que isso estava encostado em mim no outro dia, acho que já ultrapassamos a necessidade de eufemismos. Então continue. Estávamos falando do seu pênis.

Ele endureceu o maxilar e se aproximou dela.

– Já que você gosta tanto de linguagem ousada, estávamos falando do meu pau. E do fato de que eu nunca o enfio até as bolas na racha apertada e úmida de uma mulher. É *assim* que eu tenho certeza de não espalhar bastardos pelo mundo.

Ela ficou em silêncio, chocada, por um momento. Chocá-la, evidentemente, era o que ele pretendia. A cena inteira era escandalosa ao extremo – uma aia, sozinha com o senhor da casa, que estava nu da cintura para cima, no quarto dele – e ele tinha consciência disso. Ele queria que ela se sentisse intimidada. Ele queria evitar as perguntas dela – e possivelmente suas próprias respostas também.

Com um sorriso e uma reverência, ele foi até um armário baixo e pegou uma garrafa de conhaque.

– Você... – Ela meneou a cabeça, aturdida. – Você não pode estar querendo dizer que é virgem.

– Não, não quis dizer isso. Tive minha cota de aventuras quando era mais novo. – Ela parou de falar enquanto servia conhaque num copo. – Mas não mais.

O timbre grave da voz dele penetrou nos ossos dela.

– Eu vivo sob uma regra – ele continuou. – Sem compromissos. Não tenho amantes. Não me arrisco a gerar bastardos. E também não me submeto a tratamentos com mercúrio. Porque, inevitavelmente, quer eu mereça ou não, o Covil Libertino vai se tornar o Escritório do Duque. Talvez eu seja uma desgraça como nobre, mas o mínimo que posso fazer é manter a propriedade a salvo de bastardos ou chantagem, e me manter livre de sífilis. Então eu evito...

– Copular.

– Trepar. Isso mesmo. – Ele virou um gole de conhaque. – Se acha que lhe confiei um segredo, não se iluda. Minha abstinência não é segredo. Por que você acha que sou tão popular com as mulheres? Cultivei outros talentos.

– Que outros... – Ela parou de falar, mas era tarde demais. Sua ignorância tinha sido exposta. Assim como o peito nu e esculpido dele.

– Então, a aia tem algumas sensibilidades delicadas, afinal. Existem outros modos de dar e receber prazer, Alexandra. Muitos outros. – O olhar dele passeou por ela. – Quer que eu lhe ensine uma lição?

Sem tirar os olhos dela, ele virou o resto da bebida.

Alexandra percebeu que sua reserva de coragem também tinha acabado. Ela não sabia para onde olhar. Seus olhos ficavam pousando nos piores lugares possíveis. Na pilha de roupas descartadas. Na porta fechada. Na cama.

– Daisy precisa de óculos – ela soltou.

E então, fez meia-volta e fugiu.

{ *Capítulo dezessete* }

"A menina pe..." – Daisy parou e tentou de novo. – "A menina pe... gato..."
– "Pegava" – Alex a corrigiu com delicadeza.
– "A menina *pegava* o peixe".
– Muito bem, querida. Continue.

Agora que tinha recebido seus óculos, Daisy devorava seu primeiro livro. Há tempos que a cabeça dela tinha conectado as letras aos sons. Ela apenas não estava conseguindo *vê-las*.

O livro precisava de um pouco de edição. Do modo como foi escrito originalmente por um certo Sr. Browne – que sofria de uma assustadora falta de imaginação –, os meninos faziam tudo de interessante e as garotas nunca saíam de casa.

Nada que alguns recortes com a tesoura e umas gotas de cola não resolvessem.

Daisy virou a página.
– O garoto la-va o prato.
– Excelente.

Rosamund também estava progredindo. Ou, se não progredia, pelo menos tinha parado de atrapalhar. A garota já era uma leitora voraz, e sua habilidade com números ia muito além do esperado para sua idade. Ela quase não precisava de aulas. O que ela precisava era o tipo de coisa que nunca pediria e que só de vez em quando aceitaria – e de má vontade.

Coisas como elogios e tapinhas calorosos nas costas. Alex ainda estava tentando chegar nos abraços.

De modo geral, ela se sentia confiante. Embora ainda houvesse muito para ser feito até o fim do verão, tanto Rosamund quanto Daisy estavam progredindo.

E então, havia Chase.

A ligação amorosa dele com Winifred pode não ter chegado à conclusão, mas parecia ter resultado no efeito pretendido. Chase agora evitava Alex com certo sucesso. Exceto pelas condolências matinais de praxe (escrófula sendo a última doença a ceifar a vida da pobre Millicent), ela não o via há uma semana.

Portanto, as garotas também não.

Rosamund e Daisy poderiam decorar a enciclopédia e ainda assim não estariam prontas para ir à escola – não até que soubessem possuir um lar amoroso para o qual voltar. Só havia uma pessoa que poderia lhes dar isso. E quando essa pessoa não estava trabalhando com o Sr. Barrow, estava martelando algo no Antro da Perdição.

Alex sabia que eles sentiam uma atração inegável, mas ela não podia ser tão irresistível assim. Talvez pudesse encontrar um modo de se tornar completamente indesejável. Quem sabe Daisy não poderia lhe recomendar uma doença de pele nociva?

– O que é isso? – Daisy se virou no colo de Alex. Ela puxou a fita amarrada no pescoço de Alex e puxou a cruz de contas de sob o lenço da aia. – Você nunca tira.

– As contas foram presente da minha mãe. – Alex desamarrou o laço na nuca. – Você pode ver, se quiser.

Daisy passou os dedos pelas pequenas contas vermelhas.

– Por que não usa uma corrente de verdade?

– Aias não têm dinheiro para comprar correntes de ouro.

Apesar disso, Alex as mantinha na maior segurança possível, amarradas individualmente na fita que ela substituía, sem falta, a cada três meses, para que não arrebentasse.

– As contas são de coral – ela disse para Daisy. – Contas de coral vermelho. Quando eu nasci, as mães faziam uma pulseira com elas e as colocavam no pulso de seus bebês. – Ela pegou Millicent e demonstrou, envolvendo com a fita o braço da boneca, no lugar em que a mão de madeira saía do braço estofado. – Assim. Para proteção.

– Proteção? – A pergunta cética veio de Rosamund. Parecia que ela estava prestando atenção, lá do outro lado do quarto. – Proteção do quê?

– De todo tipo de coisa terrível. Doenças. Mal olhado. *Aswang*, que é uma bruxa. Existem muitas criaturas medonhas. Como a *manananggal*.

– Magana o quê?

– *Manananggal* – Alex disse com a voz sombria e misteriosa. – É uma vampira que pode se dividir em duas. As pernas dela ficam cravadas no chão como um toco de árvore, enquanto o resto dela voa noite adentro. Seus intestinos ficam pendurados como uma corda atrás dela, que sai à caça de mães e seus filhos. Ela deita no telhado das casas e usa sua língua muito comprida para alcançar suas presas, enquanto dormem. Então ela desliza a língua pela garganta delas e suga seu sangue.

– Eu não vou ter medo dela – Daisy disse. – O intestino só tem sete metros de comprimento e as Filipinas estão muito mais longe que isso. Nenhuma *mananal* vai conseguir nos alcançar.

– Acho que não.

– Também tenho um colar da minha mãe. – Daisy correu até o baú que servia às vezes de baú do tesouro, às vezes de caixão da Millicent. Rosamund observava, desconfiada, a irmã revirar o conteúdo até encontrar uma caixinha dourada com desenhos franceses pintados em porcelana incrustrada na caixa.

Quando voltou para a cama, Daisy abriu a caixa e retirou uma corrente fina com um pingente de ouro.

– Olhe.

– Oh, mas é lindo – Alex disse.

– É um medalhão – Daisy disse, orgulhosa. Ela abriu o fecho para mostrar uma miniatura pintada. – Esta é a mamãe.

Alex pegou o medalhão na mão e o aproximou para examiná-lo.

– Como ela era linda.

– Ah, é. Era *muito* linda. Ela era maravilhosa cantando e nas cartas. E inteligente, também. Sempre sabia como fazer você se sentir melhor, se tivesse dor de barriga ou tosse.

– Teria sido melhor se ela não soubesse – Rosamund disse.

– Por que diz isso? – Alex perguntou.

– Foi assim que ela encontrou a morte. Estava ajudando a cuidar do filho da vizinha, quando ele ficou doente da garganta. Ele melhorou, mas não antes de deixar nossa mãe doente. Parece que ela não era tão inteligente assim.

– Ela *era* – Daisy retrucou, brava.

– Ela nunca devia ter ido ajudar. Qualquer um podia ver o que ia acontecer. Foi burrice.

– Rosamund – Alexandra disse, delicada.

Daisy levantou com um pulo.

– Você não pode dizer isso. Retire.

– Não vou retirar nada. – Rosamund jogou o livro de lado e levantou. – É a verdade. Mamãe era burra e descuidada. Ela ligava mais para cuidar do filho da vizinha do que para ficar viva para nós.

– Não é nada disso – Daisy gritou em meio às lágrimas. – Você é malvada e chata e eu odeio você.

– Bem, eu odeio *ela*. – Rosamund arrancou o medalhão da mão de Daisy e o jogou do outro lado do quarto. A peça bateu na parede e caiu no chão. Ela ficou parada ali um instante, respirando com dificuldade e encarando a parede. Fazendo um esforço óbvio para não chorar.

Alex se aproximou dela com cautela.

– Rosamund.

– Não. – A garota recuou, afastando-se do toque. – Não encoste em mim. Deixe a Daisy em paz, também. Não finja que é a mãe dela. Você vai embora no fim do verão. E quando for embora, não vamos sentir sua falta. Nem um pouco.

Rosamund saiu correndo do quarto. Daisy recolheu-se em um canto, onde encolheu os joelhos, encostando-os no peito, enterrou a cabeça nos braços e soluçou.

Alex queria tranquilizar as duas, mas sabia muito bem, por sua própria experiência, que a perda dos pais não podia ser curada com biscoitos ou abraços. As garotas precisavam de tempo, e precisavam saber que estavam em segurança. Em segurança para ter acessos de raiva, gritar ou chorar, sem que lhes dissessem para ficar quietas. Com Alex elas não precisavam fingir que não sofriam. Se nada mais, ela podia lhes dar isso – pelo menos por mais algumas semanas.

Ela encontrou o medalhão e o revirou nas mãos. Por sorte, parecia que não estava danificado após aquele voo desastroso pelo quarto. A dobradiça tinha entortado, mas ela conseguiu colocá-la de volta ao lugar com um pouco de força e delicadeza. Após recolocar o colar na caixinha francesa, ela a recolocou no baú ao pé da cama. Ao procurar seu tesouro, Daisy tinha feito uma bagunça com os brinquedos e cobertores que ocupavam a arca. Alex retirou tudo, planejando dobrar, arrumar e organizar os objetos ao guardá-los de novo.

Quando chegou ao fundo do baú, contudo, encontrou um pacote misterioso, mais ou menos do tamanho de uma chaleira. Estava embrulhado bem apertado com tecido e amarrado com barbante.

Amarrado com nó pata de gato.

Alexandra passou os dedos pelo barbante, refletindo. Crianças precisavam de privacidade tanto quanto os adultos. Espionar os segredos das garotas podia danificar a confiança frágil que ela tinha conquistado. Alex decidiu então recolocar o pacote por baixo das outras coisas, fechar o baú e não dizer mais nada a respeito.

Mas em seguida mudou de ideia.

Um peso incômodo tinha se formado em seu estômago, pesado o bastante para prendê-la no chão. Não ficaria tranquila até saber o que havia no pacote.

Com uma olhada rápida por sobre o ombro, ela desfez o nó com as unhas e desdobrou cuidadosamente o tecido. O que encontrou lá dentro apertou seu coração.

Tudo que as duas meninas precisariam, caso desejassem fugir.

Dinheiro, principalmente. Alex contou rapidamente, e o total somava mais do que dez libras. Era um número impressionante de moedas, sem dúvida subtraídas uma a uma dos bolsos de Chase e guardadas com cuidado ao longo dos meses.

Oh, Senhor. Rosamund estava sempre gracejando sobre seu "plano de fuga", mas Alex vinha pensando que era piada. Contudo, a preparação demonstrada por esse pacote era séria.

Além do saco de moedas, Alex encontrou um caderninho com horários de carruagens, mapas de Londres e da Inglaterra, um conjunto para acender fogo, um canivete, um rolo de barbante e uma bússola. A mesma bússola que tinha sumido semanas atrás. Parece que não tinha sumido, afinal, mas se juntado ao restante dos equipamentos de Rosamund.

Por fim, Alex encontrou um kit de costura simples. Cartela de agulhas, fios e uma tesoura pequena. Seus lábios se curvaram num sorriso agridoce. Pelo menos ela tinha convencido Rosamund do valor de se saber costurar.

Alex refez rapidamente o pacote, com o cuidado para colocar os objetos na ordem em que os encontrou, e amarrou o barbante com um nó idêntico. Reenterrou o pacote no fundo do baú e o fechou.

Uma coisa ficou clara. Ela teria que redobrar seus esforços com Chase. Não queria trair a frágil confiança de Rosamund contando para o tutor sobre o pacote da pupila, mas ali havia mais em jogo do que ele imaginava. Rosamund era competente e decidida, e se decidisse pegar Daisy e fugir, nenhuma diretora de escola seria severa o bastante para impedi-la, nem rápida o suficiente para encontrá-las. Elas tinham desviado uma quantia de dinheiro que poderia levá-las a qualquer lugar da Inglaterra. Mais longe, até.

Se Chase não tomasse cuidado, enviar as garotas para a escola podia significar perdê-las. Para sempre.

{ *Capítulo dezoito* }

Com uma pancada satisfeita, Chase colocou o último prego.
*Pronto.*
Ele tirou a camisa pela cabeça e a usou para enxugar o rosto antes de jogá-la de lado. Então se levantou e se afastou para admirar seu trabalho.

Seu retiro de cavalheiro estava, enfim, completo. Pronto para ser batizado. A esta altura ele tinha recebido uma miríade de sugestões de nomes: Caverna da Devassidão, Covil Libertino, Salão do Mulherio, Palácio da Paixão.

Atualmente o lugar vinha sendo o "Santuário do Autoprazer". Ele não o tinha compartilhado com ninguém, exceto sua mão, desde que Alexandra Mountbatten chegou a sua casa. Para ser sincero, mesmo nas ocasiões em que ele se satisfazia sozinho, ela estava lá, em espírito. Na fantasia.

Foi como se, no momento em que ela passou por aquela porta, com o cabelo preto preso com elegância e uma bolsa surrada na mão, tivesse tomado posse do local. Enquanto olhava ao redor para o produto de várias semanas de trabalho físico, o espaço que foi pensado para abrigar uma série de encontros sem sentido... ganhou sentido.

Ali estava a cadeira em que ela estava sentada enquanto enumerava as muitas deficiências no caráter dele.

Ali estava o painel de madeira que ele pendurava quando martelou o próprio polegar e a surpreendeu na cozinha, e ela lhe deu o beijo mais excitante da vida.

Ali estava a cristaleira que tinha montado numa noite, quando sofria de desejo, perdido na fantasia de amarrar Alexandra Mountbatten ao pilar da cama e lamber seu corpo da proa à popa.

Ela estava em cada canto e recanto daquele quarto. Chase tinha dificuldade para se imaginar dividindo esse espaço com qualquer outra mulher. Se não agisse logo, o Antro da Depravação seria interditado antes mesmo de ser aberto para as visitantes.

*Alexandra, Alexandra. Que diabos vou fazer com você?*

Nada, é claro. Ele não podia fazer nada com sua pequena e tentadora aia, e esse era o maldito problema.

Alguém bateu na porta que dava para a rua. Como ele não atendeu de imediato, as batidas tornaram-se pancadas. Quem quer que estivesse do lado de fora parecia tão desesperado quanto Chase se sentia. Ele fez uma promessa para si mesmo nesse momento.

Se a pessoa do outro lado dessa porta fosse uma mulher disposta, Chase iria puxá-la para dentro e fazer amor tórrido com ela. Fim da discussão.

Quando abriu a porta, ele se lembrou instantaneamente por que não devia, nunca, fazer promessas.

A mulher parada do outro lado da porta era Alexandra.

– Você está com visita? – ela perguntou.

Ele negou com a cabeça.

– Ótimo.

Ela entrou sem esperar ser convidada, passando por ele e parando no centro do quarto.

– Sinto muito invadir assim. Fui até a praça para acompanhar um objeto celestial que estava perdendo de vista lá em cima. Na minha pressa, me tranquei para fora de casa. A noite está fria, apesar de ser verão. Que bom que está acordado. – Ela olhou ao redor. – E sozinho.

Ela estava apenas de camisola, com os braços cruzados sobre o peito para amenizar seu tremor. Bom Deus, ele a tinha visto só de camisola vezes demais. Tudo em que conseguia pensar era vê-la tirando a peça de roupa. Chase passava os dias se esforçando para expulsar essa fantasia de sua mente, e para quê, afinal. Alexandra estava diante dele, um sonho tornado realidade, fazendo Chase ser tomado pelo desespero para tomá-la nos braços e apertá-la, para que não desaparecesse.

Ele pegou uma manta na espreguiçadeira e a colocou ao redor dos ombros dela, num esforço de autopreservação.

– Era um cometa? – ele perguntou.

– Receio que não desta vez. – Ela hesitou, observando-o. – Estou feliz de ver você.

O coração dele deu uma cambalhota alegre, constrangedora.

– Faz algum tempo que não nos falamos – ela disse. – E as garotas sentem sua falta.

– É mesmo? – ele disse com a voz baixa, arrastada. – E você, Srta. Mountbatten? Também tem sentido minha falta?

Ela desviou o olhar, nervosa.

Ele era um covarde por esconder essa pergunta debaixo de uma atitude distante, quando em segredo ansiava por ouvir a resposta. De sua parte, sentia intensamente a falta dela.

Alexandra se virou para observar o quarto.

– Minha nossa, você tem andado ocupado, não é mesmo? Tantas melhorias. Você fez sozinho todo o trabalho físico?

– A maior parte. – Ele encolheu os ombros, modesto.

Todo o trabalho, na verdade, mas Chase não queria parecer tão ansioso quanto realmente estava para conquistar a admiração e o respeito dela. Ele vinha dizendo para si mesmo que tinha feito tudo aquilo para tirar Alexandra da cabeça, e agora ele se perguntava se tinha mentido para si mesmo. Talvez tivesse feito aquilo *para* ela. Não para seduzi-la, mas impressioná-la. Afinal, ela tinha elogiado sua habilidade de marceneiro. E dito que essa era uma de suas qualidades redentoras.

*Você é muito bom com suas mãos.*

O olhar dela pousou no martelo e nos pregos que ele tinha acabado de pôr de lado, e ela andou em direção ao projeto recém-acabado – um armário alto, largo, com duas portas com venezianas.

– Isto é um guarda-roupa? – Ela pôs a mão no puxador de uma das portas.

Maldição.

– Alex, espere. – Ele pulou para frente assim que a mão dela puxou a porta, pegando-a nos braços e levando-a para o lado. Bem a tempo. O conteúdo do armário foi para frente como projetado, caindo estrondosamente no centro do quarto.

O coração dele acelerou com a urgência de colocá-la em segurança. E acelerou ainda mais com a emoção de segurá-la nos braços.

Ela não pareceu estar com pressa de sair de seus braços, apenas olhando para o novo centro do quarto e soltando uma risada.

– Minha nossa. Isso é impressionante.

Alex ficou pasma.

Uma cama.

De verdade. Uma cama secreta, escondida. Isso ia além de galhadas, muito além de pinturas obscenas e cortinas de veludo. Ele tinha enfiado um colchão e um estrado no armário, colocando tudo em pé para que, quando as portas fossem abertas, a cama se desdobrasse, apresentando-se pronta para uso.

A depravação era brilhante por si só.

Os braços fortes dele continuaram em volta de seu corpo. Ela provavelmente devia agradecer pela rapidez com que ele a salvou de ser esmagada por aquela coisa. Mas, no momento, Alex estava hipnotizada pela invenção. Soltando-se do abraço, ela deu a volta na cama, olhando por baixo da estrutura, investigando a mecânica.

– Você que inventou isto?

– Não sou o primeiro a pensar numa cama dobrável, se é o que está perguntando, mas fiz minhas próprias adaptações.

– De onde vieram essas pernas de madeira? O armário não é fundo o bastante para acomodá-las.

– Elas ficam dobradas debaixo da estrutura. Quando a cama é baixada, elas se abrem para sustentá-la.

– Impressionante. E a cama está com roupa de cama e tudo. – Ela deslizou a ponta dos dedos pelo lençol de cetim. Quando chegou à ponta da cama, ela olhou para o fundo do armário. – Oh, veja. Tem um espelho. Você não tem vergonha, mesmo, tem?

– Nunca afirmei o contrário. – Ele se colocou atrás dela, entrando no reflexo. – Deveria haver uma correia para segurar tudo. Para evitar que esse tipo de acidente aconteça. Mas ainda não instalei. Acabei de montar a coisa.

Se ele tinha acabado de montá-la, e não estava acompanhado esta noite... Isso significava que a cama ainda não tinha sido usada.

Ótimo.

A ideia de que ele usasse essa cama com outra mulher a fez tremer de ciúme.

Ela o queria para si.

Não havia mais como negar. Restava decidir o que ela faria a respeito – se é que faria alguma coisa.

Alex observou-se no espelho, consultando sua consciência. Nos anos que viriam, a lembrança dos momentos seguintes seriam ou causa de orgulho e satisfação ou fonte de profundo arrependimento. De um modo ou de outro, sua vida mudaria para sempre.

— Na outra noite, no seu quarto... — Ela se virou para encará-lo. — Você me disse que existem várias maneiras de dar e receber prazer. Muitas maneiras.

— Eu disse. — Ele confirmou lentamente com a cabeça.

Ela firmou os próprios nervos.

— Me dê uma aula.

Enquanto Chase a observava, as terminações nervosas de Alex se deram nós. Individualmente. Quando ele enfim falou, ela não era nada além de um tapete humano de crochê.

— Você não pode estar falando sério — ele disse.

— Antes de você negar, posso lhe garantir que já pensei em tudo.

Ele parecia perplexo.

— Mas é claro que já.

Alex deu a volta nele e foi até o bar bem-abastecido.

— Vamos enumerar as vantagens. — Ela deslizou uma garrafa de uísque em direção a uma extremidade do balcão. — Existe tensão demais entre nós. Se podemos aliviá-la, por que não? Somos adultos. — Ela levou uma garrafa de champanhe para fazer companhia ao uísque. — Você está frustrado. — Uma jarra de conhaque de maçã. — E eu, curiosa.

Ele não teve resposta.

— Você mesmo disse que é cuidadoso para evitar gravidez e doenças. Isso elimina os riscos do meu lado. — Ela moveu mais algumas garrafas para perto das outras e recuou um passo. — Veja a contagem. A conclusão é óbvia.

Chase arregalou os olhos para a fileira de garrafas e jarras.

— O que eu concluo aqui é que devo mandar você para sua cama e ficar bêbado como um gambá.

— Não diga absurdos. Não consigo pensar em nenhuma desvantagem, a menos que... — Ela lhe deu um olhar tímido e empurrou uma garrafa de vinho na direção das desvantagens. — Que a experiência possa ser ruim?

Bufando, ele foi até o bar, agarrou o vinho e o colocou com decisão junto com as vantagens.

— Não seria ruim.

— Ou talvez... — Ela encostou na garrafa e a empurrou de volta ao lado negativo. — Talvez você não me queira. Você deve ter um gosto específico quanto às suas amantes.

— Maldição. — A mão dele fechou sobre a dela com força, mantendo a garrafa no lugar. — Você sabe que não é esse o motivo da minha hesitação. Eu nunca quis uma mulher com a intensidade com que desejo você. Não em...

Ela se agarrou com as unhas à conclusão daquela frase. Não em quê? Não em semanas? Não em meses? Não em anos, décadas... uma vida?

Em vez de concluir o pensamento, ele a deixou em dúvida. Homem impossível.

Ele a soltou e andou até o outro lado do quarto.

– Alex, fazer amor é algo que você deveria descobrir com um marido. Ou pelo menos com alguém que ama.

– Mas *você* não é casado. Não ama ninguém.

– Não e não pretendo.

– Então por que é aceitável que você tenha amantes, mas eu, não? Não pode ser porque sou mulher. Suas amantes são mulheres, afinal.

– Mas não mulheres inexperientes.

*Inexperiente?* Ora, isso já era demais. Em sua vida ela tinha passado por mais coisas do que ele podia imaginar.

– Você não sabe das experiências que já tive na vida. Só porque sou virgem, isso não significa que não vivi. Eu conquistei o direito de tomar minhas próprias decisões, muito obrigada.

Ele esfregou a mão no rosto.

Alex foi até ele.

– Eu sei que não haverá nenhuma promessa – ela sussurrou. – Não estou esperando nenhuma.

– Mas deveria esperar. – Ele apertou a cintura dela com o braço, e seu olhar intenso passeou pelo rosto de Alex antes de se fixar nos lábios. – Você merece. Eu fui um sem-vergonha deixando que você tivesse suas primeiras provas de paixão comigo. Algum dia vai encontrar um homem que possa lhe prometer o mundo. E a lua e as estrelas. E alguns cometas, também.

Era curioso que ele mencionasse cometas. No momento, o coração dela ameaçava pular para fora do peito e descrever um arco flamejante no céu.

– Bem... – Ela passou os olhos de modo cômico pelo quarto, esticando o pescoço para inspecionar os cantos. – A menos que esse homem esteja por aqui, eu me contento com você.

– Alex...

Determinada, ela passou a mão pelo rosto dele, apreciando a barba por fazer que despontava. Então, virando a mão, encostou o dorso dos dedos no pescoço dele. Em sua melhor tentativa de bancar a sedutora, ela os deslizou para baixo em uma carícia contínua, longa e sinuosa, passando pelo pomo-de-adão até chegar à reentrância na base do pescoço.

Quando os dedos chegaram ao esterno, ela também tinha chegado ao fim de sua bravata.

O coração dele batia furiosamente debaixo da mão dela. A respiração arqueava e baixava seu peito. O resto dele permanecia tão quieto e imóvel que Alex começou a tremer por dentro, de dúvida.

*Por favor*, ela implorou em silêncio. *Assuma o controle. Dê o próximo passo. Não me obrigue a tentar mais do que eu sei.*

Após uma eternidade, parecia que as opções dela eram agir ou passar o resto da vida encarando, entorpecida, o círculo escuro e chato do mamilo dele.

Alex reuniu o que lhe restava de coragem e ergueu a cabeça.

– Cha...

A boca de Chase desceu sobre a dela antes que Alex pudesse completar seu nome. Quando a mão dele agarrou seu cabelo e a puxou para si, um alívio doce a derreteu por dentro.

Ele se afastou, pairando sobre ela, sua presença masculina preenchendo todo o campo de visão dela. Alex não conseguia ver mais nada.

Só ele.

Quando ele falou, sua voz soou tão perigosamente grave que precisava de uma cerca e um sinal de alerta.

– Se é uma aula de prazer que você deseja...

– E é.

– Então é uma aula de prazer que vai ter.

## Capítulo dezenove

Oh, graças a Deus funcionou.
 Com um único movimento fluido dele, Alex se viu sendo carregada e colocada na cama. Ele a deitou de costas e se juntou a ela, esticando-se ao seu lado, apoiando-se no cotovelo.

– Como lhe disse, existem muitas maneiras. – Ele encostou o rosto no pescoço dela e deslizou a ponta dos dedos do punho até o cotovelo. – Talvez você mesma já tenha descoberto sozinha uma ou duas maneiras. Na cama, no escuro, com suas mãos debaixo da camisola. Ou naquele banho com cheiro de laranjeira, sem camisola nenhuma. Explorando os segredos do seu corpo, aprendendo onde o prazer se junta e como explode.

Ela anuiu, tonta com as sensações.

– É diferente – ele murmurou – quando o toque pertence a outro. A expectativa acende um pavio em suas veias. O menor carinho pode ser uma fagulha.

Bom Deus. Essa era uma lição que Alex não precisava. Ele mal a tinha tocado e ela já estava pronta para explodir.

A mão dele parou na barriga dela.

– Se você quiser que eu pare, a qualquer instante, é só me dizer. Entendeu?

Ela não conseguiu responder. Não conseguia respirar.

– Alexandra. – Ele inclinou o rosto dela para si. – Quando faço uma pergunta, espero uma resposta.

De algum modo, ela conseguiu concordar com a cabeça.

– Eu entendi.

– Ótimo. – ele disse. Seus olhos, vidrados de desejo, desceram até os seios dela. Ele murmurou palavras que para ela pareciam estar a quilômetros de distância. – Ótimo.

A mão dele, forte e calejada pelo trabalho, segurou o seio dela. Acariciando e massageando através do véu fino da camisola. Ele esticou o tecido e o mamilo escuro, teso, destacou-se.

Ele baixou a cabeça, passando a língua sobre o bico carente, latejante. Ela ofegou com a força da sensação.

Quando levou a mão ao outro seio, ele lhe deu beijos quentes nos lábios, no pescoço, na orelha.

– Eu preciso ver você. – O sussurro fez os pelos se arrepiarem. – Alexandra, me deixe ver você.

Ela anuiu.

Ele ergueu a cabeça, observando-a enquanto soltava os botões da frente da camisola. O primeiro saiu fácil. Ele deu um beijo no pedaço de pele que revelou.

Quando moveu os dedos para o segundo botão, contudo, ele parou.

– Tive uma ideia melhor.

– Teve?

Ele se colocou de joelhos ao lado dela, enganchou os polegares numa abertura entre os dois botões de baixo e deu um puxão, separando à força os dois lados da camisola. Botões voaram.

– Por quê? – Ela o fitou.

– Porque assim posso lhe comprar uma nova. Uma que seja mais quente, mais elegante. Linda como a mulher que a veste. – Ele puxou a roupa rasgada pelos ombros dela. – Além do mais, sempre quis fazer isso.

– Foi bem excitante, preciso admitir.

Ele ficou parecendo um lobo, do modo que seus lábios se curvaram.

– Ótimo, porque não me arrependo. – O olhar dele vagou pelos seios expostos, fazendo a pele dela arrepiar e tremer. – Deus, você é linda.

Em vez de se deitar ao lado de Alex, dessa vez Chase se deitou sobre ela. Ele entrelaçou as pernas às delas, colocando uma coxa larga e musculosa diretamente sobre seu sexo. Sentindo uma descarga de prazer, Alex arfou.

De repente, Chase estava em toda ela. Lambendo e chupando seus seios, passando a mão por seu corpo para pegar a barra da camisola, esfregando a coxa na abertura dela num ritmo enlouquecedor. O desejo corria pelo corpo dela como uma matilha de feras selvagens, famintas. Nenhuma parte dela estava a salvo. Alex não tinha onde se esconder.

Então ocorreu a ela, um pouco atrasado, que talvez devesse estar fazendo algo, também. Alex levou as mãos aos ombros dele, agarrando-o apertado.

Então ele foi mais devagar, tirando seu peso de cima dela e deslizando a mão por baixo da camisola. Seus dedos escalaram a encosta trêmula do lado de dentro da coxa, arrastando o tecido frágil consigo.

Ao mover a mão para o centro, seu olhar capturou o dela. As pontas dos dedos roçaram – de leve, com delicadeza – a abertura dela.

Oh, que doce paraíso.

Ele a descobriu com o mesmo toque leve, delicado. Não invadindo seu corpo, mas esperando pelo convite úmido, suave. Com o polegar, ele tocou o botão intumescido que era o centro do prazer de Alex, que sentiu o dedo médio dele entrar pela abertura.

Alex ficou tensa e emitiu um som fraco, lamentoso, de alegria.

Ele parou.

– Continua sendo "sim"?

Ela mordeu o lábio e anuiu.

– Sim.

*Sim.*

Chase observava as reações dela com tanta atenção que ela ficou com vergonha e teve que fechar os olhos. No escuro, a consciência dela se concentrou naquele prazer doce, latejante, entre suas coxas. Ele tremeluzia, expandia-se, brilhava ofuscando-a até...

*Sim.*

E *sim* e *sim* e *sim*.

Ele continua a acariciá-la enquanto ela flutuava de volta para a terra, passando os dedos pelo cabelo solto de Alex e murmurando palavras que ela não entendia muito bem, mas que eram reconfortantes e encorajadoras. Quando ela abriu os olhos, ele a beijou na testa.

– Isso foi magnífico – ele disse.

– Acho que sou eu quem deve dizer isso.

– Ora, você também pode dizer, se quiser. – A boca dele se abriu num sorriso torto, convencido. – Não sou eu quem vai impedir.

Alex rolou de lado e também lhe deu um sorriso.

– Você é magnificamente arrogante. Mas parece que a arrogância é merecida.

Ela estendeu a mão até ele, deslizando a ponta dos dedos pelo peito amplo e enfiando-os por baixo da cintura da calça.

Chase pôs a mão sobre a dela, impedindo seu progresso.

– Você não quer...? – Ela olhou para a barraca armada nas calças dele.

– Quero dizer, parece que você também *precisa* de um alívio.

– Dar prazer a você foi um prazer para mim. Não quero que sinta que deve retribuir por obrigação. Fazer amor não é uma barganha. Pelo menos não do jeito que eu vejo.

– Não sinto nenhuma obrigação. Sinto curiosidade. Você me prometeu uma aula. Mas já conheço meu corpo. Não conheço o seu. – Ela colocou a mão sobre o volume dentro da calça, envolvendo-o e delineando-lhe o formato através da lã grossa. – Posso?

– Faça o que quiser comigo – ele grunhiu. – Não tenho forças para resistir.

Ela foi até os botões da abertura da calça e os soltou, um após o outro. Contudo, depois do último botão, a coragem dela fraquejou.

O que fazer a seguir?

Ela devia puxar a calça para baixo ou tirar a ereção para fora? Devia segurá-lo pela ponta ou pela base? Como deveria reagir quando o visse? Cumprimentar o formato nobre ou elogiar o tamanho?

Alex não sabia nada da etiqueta do amor. Tinha receio de fazer tudo errado.

Sentindo a hesitação de Alex – ou, quem sabe, impaciente demais para tolerar sua indecisão –, ele pegou a mão dela e a introduziu dentro da calça, fazendo a apresentação por meio do tato em vez da visão.

Oh, assim foi muito melhor.

A primeira impressão dela foi a maciez. Alex não esperava que sua mão encontrasse algo tão macio e sedoso. Quando correu a ponta dos dedos por toda a extensão, da base à ponta, ele inspirou o ar com rapidez, trêmulo. Então ela envolveu o pênis com os dedos, apertando-o e deixando a dureza encher sua mão.

Ele levantou os quadris, empurrando a calça até o meio da coxa. Seu pau se soltou, ficando à vista. Ela continuou a exploração, fascinada pela tonalidade avermelhada da ponta, pelas veias que envolviam a haste e pulsavam debaixo da pele. Até mesmo quando a respiração dele ficou rápida e ofegante, Chase permitiu que Alex continuasse a tocá-lo com a lentidão e suavidade que ela quisesse.

Ela olhou para Chase e o encontrou observando-a, a testa franzida e o maxilar apertado. Alex mordeu o lábio, sentindo-se insegura.

– Está...?

– Está. – Ele confirmou com um movimento curto de cabeça.

– Eu estou...?

– Ah, sim, está. – Ele estendeu a mão para acariciar o rosto dela, o polegar delineando o contorno dos lábios. – Você é perfeita.

O peito dela se encheu de alívio, sem um único sopro de orgulho.

Uma gota de umidade se formou na ponta do membro dele, e Alex a tocou com o polegar, espalhando-a em círculos pela cabeça grande e lisa. A ereção pulou na mão dela, e os músculos do abdome dele ficaram duros como paralelepípedos.

Ele estreitou os olhos e murmurou uma imprecação. Quando ela o tocou de novo, os quadris dele se arquearam e o pau pulou na mão dela.

Alex nunca tinha se sentido tão poderosa. Mesmo com toda sua ignorância, ela conseguia reduzir aquele homem poderoso a um nervo exposto, trêmulo. Ela o tinha, literalmente, na palma da mão.

– Me ensine – ela sussurrou. – Me ensine o que fazer. O que você gosta.

Ele cobriu a mão dela com a dele, guiando-a num ritmo de carícias apertadas e rápidas. A rapidez foi acelerando cada vez mais, até as mãos unidas se transformarem num borrão. Alex viu o rosto dele se contorcer, a expressão alternando-se entre prazer e dor. A cabeça dele se jogou para trás e seus olhos se fecharam, apertados.

Ele parecia estar em outro lugar, um lugar dentro de si mesmo. Ela imaginou aonde a mente dele tinha viajado. Se Chase continuava com ela, ou pensava em outra pessoa. Ou, talvez, ele tivesse sido transportado a um lugar em que não havia nomes nem rostos – apenas sensações.

Um grunhido baixo, primitivo, abriu caminho entre os dentes crispados. O corpo dele estremeceu com o êxtase. Calor se derramou sobre os dedos dela. Chase soltou a mão dela, e Alex continuou a acariciá-lo – igualmente fascinada pelo amolecimento do membro como tinha estado por sua dureza.

– Alexandra – veio o sussurro rouco. Ele levou a mão ao cabelo dela, enfiando os dedos nos fios soltos, puxando-a para um beijo.

Aonde quer que tivesse ido, ele estava de volta. Chase estava de volta ao presente, com ela.

Enquanto a respiração dele voltava ao normal, Alex considerou suas opções. Balbuciar um agradecimento e fugir para seu quarto? Fingir que pegou no sono e escapar no meio da noite? As duas lhe pareceram indignas de seu caráter.

Então ela rolou de lado para encará-lo. Se o evitasse agora, a situação entre os dois ficaria cada vez mais constrangedora. O que tinha acontecido entre eles precisaria ser enfrentado, discutido.

Ele olhava para o teto.
– Isso foi... inacreditável.
Ela sorriu, empolgada pela evidente satisfação dele e sentindo certo orgulho de si mesma.
Até ele continuar falando.
– Tão desaconselhável – ele continuou, gemendo. – Impróprio. Imperdoável da minha parte. – Ele levantou, subindo a calça, e pegou um lenço para limpar a evidência do encontro deles. – Sinto muito, Alexandra. Você deve voltar para seu quarto e nós vamos concordar que isso nunca...
– Pare. – Ela levantou. – Não ouse dizer que isso nunca aconteceu. Porque *aconteceu*. E estou feliz que tenha acontecido. E quero que aconteça de novo.
– De verdade?
Haveria um toque de ansiedade e insegurança nos olhos dele?
Claro que não. Mulherengos infames não ficavam ansiosos nem inseguros com mulheres. E com certeza não com uma mulher como Alex.
– De verdade – ela confirmou. – Eu quero isso.
*Eu quero isso. Eu quero você. Quero me sentir desejada. Mesmo que seja por pouco tempo.*
Alexandra sabia que estava ignorando várias desvantagens possíveis para esse *caso* que tinha proposto. Existiam perigos, com certeza. Ele sabia como evitar tanto uma gravidez quanto envolvimento emocional. Ela, por sua vez, só podia garantir que evitaria a gravidez. Após o encontro na livraria, ela passou meses encantada por Chase com base apenas numa conversa desastrosa e humilhante, nos olhos verdes e no sorriso encantador dele. Ela estremecia só de pensar nas fantasias que poderiam brotar em sua imaginação após um verão de "aulas" sensuais.
Sonhos eram apenas isso: sonhos. Ela teria o resto da vida para esquecer deles.
Misericórdia. Não importava o quanto vivesse, Alex pensava que não conseguiria esquecer da visão diante de seus olhos nesse momento.
Enquanto ela o observava, Chase ergueu a ponta da cama, colocando o pesado conjunto de estrado e colchão de pé, dentro do armário. Os músculos poderosos dos braços e ombros dele deram um espetáculo deslumbrante.
Contraindo-se.
Alongando-se.
Acariciados pelas línguas âmbar das velas.
Deus, ele era um homem lindo.

O gemido baixo de esforço tirou Alex de seus devaneios.

*Ei, Alexandra. Que tal ajudar um pouco?*

Ela correu para ajudá-lo a recolocar o colchão no lugar, dobrar as pernas de madeira da estrutura e trancar o armário. Após terminarem, eles se viraram um para o outro, apoiando um ombro nas portas fechadas do armário.

– Então estamos de acordo? – ela perguntou. – Vamos continuar com... as aulas?

Ele analisou o rosto dela.

– Se você está certa de que quer.

– Muito certa. Faz todo sentido. A única alternativa é nós ficarmos nos evitando o tempo todo, o que vai nos deixar cada vez mais frustrados. E isso não seria bom para ninguém desta casa. – Ela passou os olhos pelo quarto. – e graças ao seu esforço, temos um lugar particular, escondido, para os nossos encontros.

– Vou ter que rebatizá-lo.

– Caverna da Devassidão não serve mais? Pensei que tinha encomendado uma placa.

– Se vou lhe dar aulas, acho que precisa de algo mais... educativo no nome. Escola da Sensualidade – ele propôs. – Classe de Êxtase. Talvez Oficina de Orgasmos?

– Qualquer coisa é melhor que o Cafofo do Mal. – Alex sorriu. Ela tinha sentido falta dos diálogos bem-humorados com ele. Ela olhou para a parede da lareira. – Imagino que você não queira tirar as galhadas?

– O que você tem contra galhadas, afinal?

– Acho apenas que poderiam ser substituídas por algo mais convidativo. Uma bela paisagem, quem sabe. – Ela deu um olhar provocador. – Ou talvez um quadro bordado? Este lugar precisa de um toque feminino.

Ele a pegou pela cintura e a apertou contra o peito.

– Só existe uma coisa neste quarto que precisa de um toque feminino.

Oh, aquele tom sedutor na voz dele fazia coisas indizíveis com ela.

– É claro – ela disse com sua voz de aia mais firme. – Não é necessário dizer que devemos proceder com absoluta discrição.

– Não se preocupe. Elas nunca vão saber. Por que acha que instalei os painéis de madeira? Para não deixar nenhum som escapar. As cortinas são pesadas o bastante para não deixar entrar nem sair luz. E essa porta – ele inclinou a cabeça na direção da entrada pela cozinha – tem três trancas.

Aparentemente, nenhuma das três trancas estava sendo usada no momento. A porta foi escancarada.

– Sr. Reynaud? Srta. Mountbatten? – Daisy esfregava os olhos ao entrar, cambaleante, no quarto.

Alexandra foi rápida para se distanciar de Chase. Ela se abraçou para esconder a camisola rasgada.

– Daisy. Que surpresa.

– Eu não conseguia te encontrar.

– E agora encontrou. Vamos voltar para a cama.

A garota olhou de Alex para Chase.

– Por que você está aqui no meio da noite?

– Oh, nós só estávamos conversando. Sobre... – Alex remexeu no cérebro à procura de um assunto. – Bordado.

O que teria sido uma resposta excelente, se Chase não tivesse dito, ao mesmo tempo:

– Galhadas.

Daisy franziu o rosto, confusa.

– Bordado com galhadas – Chase disse com firmeza. – É uma forma tradicional de artesanato na Lapônia finlandesa.

Alex olhou para ele. *Bordado com galhadas?*

Ele deu de ombros.

– Estive pesquisando as escolas por lá, como você sabe – ele disse para Daisy. – Como é um assunto importante sobre educação, não podia ficar para amanhã.

Alexandra foi até sua pequena pupila.

– Por que está fora da cama, querida?

– Millicent está com uma obstrução intestinal.

– Minha nossa. É melhor nós fazermos uma infusão de espinheiro, não é mesmo? – Ela olhou com cuidado para Chase. – Você gostaria de se juntar a nós para uma xícara de chá?

– Obrigado, mas não.

A negativa fez o entusiasmo de Alex murchar. Talvez a interrupção de Daisy o tivesse feito mudar de ideia, e Chase quisesse cancelar o acordo deles antes mesmo que começasse.

Mas ele olhou ao redor e pegou seu martelo.

– Tenho que instalar uma tranca. A quarta.

– Oh. – Alex sorriu e assentiu. – Que bom.

## Capítulo vinte

Alex acordou à noite outra vez – tremendo toda, os lábios rachados de sede.

Esses episódios vinham e iam num ritmo insidioso, desaparecendo por tempo suficiente para ela quase se esquecer deles e se sentir segura, antes que voltassem com força renovada. O passado a prendia, e Alex há muito tinha desistido de se libertar. O melhor que podia fazer era manter um copo de água ao lado da cama. Ela tomou, afobada, a maior parte da água, deixando um pouco para umedecer um pano e enxugar o suor de seu pescoço.

A alvorada começou a se infiltrar lentamente pela casa. Ela não conseguiria adormecer de novo, e suas pupilas ainda demorariam algumas horas para acordar – Alex esperava.

Como estava desperta, decidiu se vestir e dar uma passeada discreta pelo térreo. Mesmo após todas aquelas semanas, havia partes da casa que ela ainda não conhecia.

Especificamente, a biblioteca.

Aquela sala a atraía. Qualquer quarto com livros a atraía, mas essa biblioteca em particular a chamava como um bando de sereias.

Talvez, e só talvez, em algum lugar daquelas prateleiras estivesse sua cópia perdida do *Catálogo de Nebulosas e Aglomerados Estelares* de Charles Messier. O livro com o qual Chase tinha ficado após a trombada dos dois na Hatchard's. O volume que, Alex tinha imaginado, ele guardou no bolso do paletó durante meses, na esperança aflita de reencontrá-la.

Com a lembrança, ela se encolheu por dentro.

Alex começou a procurar na prateleira mais baixa, passando os olhos pela lombada de cada livro antes de seguir para a de cima. Na quarta prateleira, estava se esticando, na ponta dos pés, para conseguir enxergar os títulos. A quinta – e mais alta – ficava além do seu alcance.

Ela procurou ao redor uma escada de biblioteca ou uma banqueta, mas sua busca foi infrutífera. Determinada, empurrou um divã na direção das prateleiras e subiu no móvel.

Muito melhor.

– Bom dia.

Alexandra perdeu o equilíbrio no divã. Suas mãos agarraram na prateleira. Por um instante, ela ficou pendurada, os pés balançando no ar. Só havia uma opção – soltar-se e cair no chão. Seu corpo sobreviveria à queda, mesmo que sua dignidade não. Ela estava a apenas meio metro de altura.

*Vá em frente, então. Quanto mais tempo ficar pendurada, mais ridícula fica.*

Contudo, no mesmo instante que soltou a estante, esta – já gemendo com os livro – cedeu sob o peso adicional do corpo de Alex.

Ela caiu no tapete. E uma estante cheia de livros começou a cair sobre ela.

Alex se curvou, formando uma bola, a cabeça debaixo dos braços cruzados, e esperou que acabasse. Ela estremecia enquanto os volumes a acertavam, vindos de cima. Alguns dos livros mais pesados caíam com força suficiente para fazê-la ganir.

Enfim, os golpes cessaram.

Com cuidado, ela ergueu a cabeça para observar. Talvez a estante tivesse acabado de vomitar seu conhecimento encadernado em couro.

Não, não tinha. Havia um livro, ainda. Um volume formidável, do tamanho de uma enciclopédia, encadernado em couro carmesim. Com Alexandra observando, horrorizada, o livro deslizou da estante de nogueira solta – mergulhando na direção de sua cabeça.

Alexandra se encolheu, fechando os olhos, e se preparou para o pior. Contudo, em vez de uma pancada mortífera de esmagar ossos, ela ouviu apenas um baque suave.

– Bom Deus. Diga que está viva aí embaixo.

– Estou – ela disse, a voz fraca. Embora preferisse não estar. No que concerne à morte, essa teria sido doce. Havia modos piores de se encontrar o fim do que ser enterrada viva em literatura. Daisy saberia listar dezenas.

Enquanto tentava se sentar, Alex se viu auxiliada por uma mão grande e forte debaixo de seu braço.

Chase.

Ele jogou de lado o livro que tinha pegado no ar e Alex o viu aterrissar sobre a pilha. Chase devia ter pegado a coisa um instante antes que esmagasse seus miolos.

Não era um exagero dizer que ele podia ter salvado sua vida. No mínimo, ele a salvou de uma imensa dor de cabeça.

– Quebrou alguma coisa? – ele perguntou, agachando-se ao lado dela.

– Acho que não.

– Em que mês nós estamos? – Ele a fitou nos olhos.

– Julho.

– E o dia da semana?

– Quarta-feira.

– Quantos botõezinhos nas costas do seu vestido?

– Não sei. Quem conta esse tipo de coisa?

Ele deu de ombros, resignado.

– Eu conto.

– É claro que sim. – Ela prendeu uma mecha solta de cabelo atrás da orelha. – Estou bem, obrigada. Você apenas me assustou.

– Imagino que sim. Chase Reynaud, numa biblioteca? Procurando livros-razão sumidos? Quem não desmoronaria de surpresa?

– Não foi o que eu quis dizer...

Ele dispensou com um gesto a tentativa de explicação.

– Também andei tomando vinho e tendo uma grande quantidade de pensamentos impuros, então meu caráter não mudou tanto assim. – Ele baixou a voz para um murmúrio brincalhão. – Se está procurando os romances eróticos, estão escondidos atrás dos livros de sermões. – Ele apontou com a cabeça para o outro lado da biblioteca. – Ali, segunda prateleira de baixo para cima.

– Eu não estava procurando nada disso. – O rosto dela ficou vermelho.

– Minha opinião sobre você não mudaria. Eu leio esses livros o tempo todo.

– Acho que não atenderiam meus objetivos hoje. Estava procurando novo material de leitura para as meninas. – Ela se abaixou e começou a recolher os livros caídos.

Chase se juntou a ela no esforço de arrumação.

– Por quê? Eu comprei muitos livros para a sala de aula, meses atrás.

*Sim, eu sei. Eu estava lá, na Hatchard's. Você me fez derrubar todos os meus livros nesse dia. Eu devia estar usando o mesmo vestido.*

Alex viu na situação um lembrete oportuno. Não importava o que eles fizessem à noite, nada mais tinha mudado. Eles tinham um acordo físico temporário. Ela não podia esperar nada mais.

– Rosamund já leu todos os livros dez vezes, e Daisy precisa de algo diferente. Mais adequado aos interesses dela.

Ele levantou para inspecionar a estante quebrada, cutucando a madeira rachada com a unha do polegar.

– Apodreceu – ele declarou. – Vou ter que substituir a tábua.

– Que bom. Assim não preciso me desculpar. Na verdade, você pode me agradecer por lhe dar um projeto novo. – Ela se levantou. – Olhe – Alex disse, folheando um livro de anatomia humana. – Este seria perfeito para Daisy, a médica em formação que ela é.

– Coveira em formação, você quer dizer.

– Olhe só os detalhes destas ilustrações. – Alex se aproximou mais, virando o corpo para que ele pudesse ver por cima do ombro dela.

Chase passou o braço por sobre ela para virar a página. Ao fazê-lo, seu braço roçou o ombro de Alex. Sua respiração acariciou a orelha dela.

Alex olhou para o desenho a traço do sistema respiratório. Talvez a ilustração pudesse ajudá-la a identificar exatamente o que, em sua anatomia, estava falhando – porque a proximidade dele tornava sua respiração difícil.

– Eu me interessei por anatomia quando jovem – ele murmurou. – Continuei meus estudos durante toda a universidade.

– Mesmo?

– Ah, sim. Acho fascinante. Mas a maioria do meu aprendizado veio da vida, não dos livros. – Ele tirou o volume da mão dela, fechou-o e colocou-o de lado. – Sabe, acho que está na hora de outra aula.

Com isso, ele a virou para si e lhe capturou a boca num beijo escaldante. As mãos dele tornaram-se instrumentos possessivos, acariciando-lhe os seios, as coxas, os quadris. Acordando seu corpo do mesmo modo que a alvorada acordava a terra.

Quando Chase levantou a cabeça, seus olhos tinham um brilho diabólico. Ele a empurrou para trás até Alex encostar a coluna na estante.

Então, ele se ajoelhou.

A pele de Chase ficou tensa com a expectativa. Ele estava esperando por isso.

– Chase – ela sussurrou. – Chase, levante.

Levantar? O diabo que ele se levantaria. Nem tinha começado.

Ele pegou as saias dela com as duas mãos, levantando-as o suficiente para poder entrar debaixo. As anáguas caíram ao redor dele. A roupa de baixo de Alexandra cheirava a goma e sabão, com um leve toque de água de laranjeira – além do inebriante perfume feminino da pele dela. O tecido caído ao redor dele era o templo silencioso e sagrado de uma deusa pagã, e ele era um adorador posto de joelhos.

Contudo, a oferta que ele tinha em mente não seria nenhum sacrifício.

Ele deslizou a mão por uma das pernas, por sobre a meia, dobrando-a no joelho e passando-a sobre o ombro. Isso feito, ele a pegou pelos quadris e lhe inclinou a pelve para frente.

Pronto. Agora ela estava aberta à sua observação, ao seu toque. Ao seu beijo.

Chase passou o rosto pela coxa interna dela, deliciando-se com a textura acetinada da pele de Alexandra em sua face. Começando na liga, ele foi beijando e subindo diretamente para a abertura dela.

A coxa ficou tensa.

Ela se contorceu sob o toque dele.

– O que está fazendo?

Chase decidiu que uma demonstração seria a melhor resposta. Ele passou o polegar pela entrada do sexo dela, abrindo-a com um toque delicado. Então ele se aproximou do calor dela, passando a língua pela reentrância doce e sedosa.

Ela arqueou os quadris e o chutou no rim.

– Chase. – As mãos dela tatearam os ombros e as costas dele, parando no alto da cabeça. Ela o sacudiu.

– *Chase*. Não podemos fazer isso. Não aqui.

– Claro que podemos. – Ele não soube se suas palavras tinham chegado até ela, pois sua voz estava abafada por camadas de saias e sua boca tinha tarefas mais agradáveis para fazer do que pronunciar com clareza. Ele explorou o tesouro diante de si com passadas de língua delicadas, dando a ela tempo para se acostumar com a sensação.

Ela arfou e pulou.

– Isso é tão errado.

Embaixo das saias dela, ele sorriu.

– É o que torna isso tão bom.

– Um criado pode entrar a qualquer momento.

– Então pare de me interromper.

Os dedos dela continuaram agarrando o cabelo dele, mas Alex parou de resistir.

Assim, ele voltou à sua missão, encontrando o botão intumescido no alto da abertura e provocando-o com a língua.

O ar dela escapou num suspiro erótico.

É isso. Renda-se ao prazer. Renda-se a mim.

Ele deslizou as mãos até o traseiro dela, agarrando-o forte com as duas mãos e puxando-a para mais perto, para melhor beijar, lamber, chupar e morder. Usando as reações dela como guia, aprendeu como fazê-la suspirar, gemer, ganir e enfiar as unhas no seu couro cabeludo.

– Chase.

Ouvir seu nome nos lábios dela era o triunfo mais inebriante de todos. Isso lhe dizia que ele não era um amante anônimo para ela, mas um homem com quem ela compartilhava suas sensações e seus lugares mais secretos. Um homem que ela considerava digno de seu corpo e seu prazer. Mesmo que ele nunca pudesse ser digno de seu coração ou de sua vida, aquilo bastava.

Pelo menos diria para si mesmo que bastava.

Ela começou a movimentar os quadris, procurando mais contato, querendo mais rapidez. Um músculo tremeu na coxa dela. Chase percebeu que ela estava perto.

*Goze*, ele pediu em silêncio. *Goze para mim.*

Mais algumas passadas rápidas da língua e ela caiu no precipício. Alexandra gozou com uma série de lamentos e espasmos, segurando-se na cabeça e nos ombros dele. Ele só parou quando o prazer dela diminuiu, e mesmo assim não conseguiu se afastar. Chase apertou a boca na parte interna da coxa, chupando e mordendo até um hematoma aparecer na carne macia.

Pronto, ele tinha deixado sua marca: *Chase Reynaud esteve aqui.*

Depois que o ritmo da respiração dela diminuiu e a perna sobre seu ombro ficou mole, ele saiu debaixo das saias, levantando-se cuidadosamente, sustentando o peso dela.

Deus, ela estava linda. O pescoço corado, o peito arfando, os olhos vidrados emoldurados por cílios espessos e escuros. Seu cabelo estava bagunçado atrás, onde ela tinha se apoiado e esfregado na estante. A luz da manhã pintava a pele dela com uma paleta de tons dourados e rosados.

– Você – ela suspirou – é terrível.

– Você – ele encostou os lábios na testa dela – é deliciosa. – Ele a beijou no rosto. – Linda. – E nos lábios. – Irresistível.

Ele se inclinou, faminto por mais.

Alexandra pôs a mão no peito dele, mantendo-o no lugar.

Chase recuou um passo, então inclinou a cabeça para o lado e a fitou.

– Algum problema?

– Não. – Ela umedeceu os lábios. – Não é nada. É só...

– Hidropisia.

Chase se virou, procurando a fonte do diagnóstico abrupto. *O quê?*

Rosamund estava no corredor.

– É hidropisia hoje – ela repetiu. – O funeral está preparado.

– Certo. – Ele passou a mão pelo cabelo. – Eu e a Srta. Mountbatten estávamos apenas...

– Procurando uns livros – Alex concluiu.

– Bem, é óbvio. – Rosamund fez uma expressão zombeteira. – É isso que se faz numa biblioteca, não é?

– Exatamente – Chase declarou. – Vá na frente. Nós já vamos.

Depois que Rosamund saiu, ele e Alex entreolharam-se, aliviados.

– Foi por pouco – ele disse.

– Muito pouco.

– Eu concordo.

– Se ela tivesse entrado três minutos antes, Chase, imagine só.

– Não – ele retrucou. – Eu me recuso a imaginar. Você não pode me obrigar. – Ele lhe deu passagem para que ela saísse da biblioteca na frente.

– Tem razão. Não adianta sofrer agora. – Ela prendeu o cabelo enquanto andava. – Hidropisia, é? Pensei que fosse doença de velho.

– Bem, você sabe o que dizem. Só os caras de pau morrem jovens.

Ela parou no meio do corredor e deu uma gargalhada.

– Essa – ela guinchou – foi terrível. Criminosa de tão ruim.

– Fez você rir, não fez?

*Finalmente.*

## { Capítulo vinte e um }

– Chase? *Chase.*
Chase arrastou seu olhar do relógio.
– Hum?
– E...? – Barrow lhe deu um olhar impaciente. – O que você quer fazer quanto aos direitos de mineração?
– Que direitos de mineração?
– Esses de que estivemos falando na última hora. O carvão em Yorkshire. Isso o lembra de alguma coisa?
– Certo. O carvão. Desculpe.
Lembrar não era um problema para Chase. Sua cabeça estava transbordando de lembranças. O problema era que se tratavam de lembranças de Alexandra debaixo dele, nua, agarrando os lençóis em êxtase. Embora o corpo de Chase estivesse no escritório com Barrow, sua cabeça estava no andar debaixo, no seu retiro. Que não era mais seu retiro. Nos últimos quinze dias o lugar tinha se tornado o retiro *deles*.
Chase se endireitou na cadeira e folheou o relatório diante de si.
– Segure as minas. O veio está longe de esgotar e a demanda por carvão só vai aumentar.
– Concordo. – Barrow mergulhou a pena no tinteiro e se curvou sobre a escrivaninha. – Chase, sei que você não gosta que eu me meta nos seus assuntos pessoais, mas isso é diferente. Você precisa parar com isso.
– Com o quê?

– Com o que estiver fazendo com a Srta. Mountbatten.

Chase levantou os olhos de repente.

– Por que acha que estou fazendo alguma coisa com a Srta. Mountbatten?

– Ora, por favor. – Barrow largou a pena. – Sempre que ela está presente, vocês ficam se comendo com os olhos. É óbvio.

– Não é óbvio.

Barrow arqueou as sobrancelhas e Chase percebeu, tarde demais, que tinha se entregado.

– Não foi o que quis dizer. Não é óbvio porque não está acontecendo.

– O trabalho no seu "retiro de cavalheiro" parece ter empacado. Faz semanas que você não pede minha opinião sobre lençóis de cetim ou gravuras eróticas.

– Eu estava para perguntar quais suas preferências em óleos sensuais perfumados – Chase disse, com pouco caso. – Mas decidi que não iria estragar seu presente de Natal.

Alguém bateu na porta.

– Cha... – Alexandra enfiou a cabeça pelo vão da porta. Ela fechou a boca e suas bochechas ficaram coradas. – Oh. Sr. Barrow. Eu não sabia que estava aqui. Perdão por interromper.

– Não tem problema – Barrow disse. Ele deu um olhar significativo para Chase. – Não estávamos falando de nada, mesmo.

– Se é esse o caso... – Alex saiu de trás da porta e entrou no escritório. – Sr. Reynaud, acho que gostaria de saber que Rosamund e Daisy estão prontas.

Prontas? Prontas para quê?

De novo, Chase tinha perdido completamente o domínio de suas faculdades. Porque ela estava parada à porta num vestido leve, amarelo-claro, e a única prontidão que importava era o quão pronto ele estava para puxá-la para seus braços.

Ela lhe tirava o fôlego.

Ele se levantou. A etiqueta não exigia que um cavalheiro se levantasse quando um dos empregados da casa entrava no ambiente. Alexandra sabia disso, e sua expressão refletiu a estranheza do gesto dele.

Mas Chase não se arrependeu. Um homem se levantava para uma dama, a rainha ou um ser divino, e ela era pelo menos uma dessas – se não as três.

– Elas estão vestidas e prontas para o passeio. – Como ele não respondeu, ela acrescentou: – Você lembra que prometeu levá-las para passear?

Falei com você a respeito na outra noite, e você disse sim. – Os olhos dela ganharam um brilho maroto. – Foi um sim bem enfático.

Gatinha atrevida. Só o diabo sabia quantas vezes ela tinha ouvido a palavra "sim" dos lábios dele nas últimas noites. Ela devia tê-lo enganado num momento em que estava louco de prazer para que concordasse com o passeio.

– Eu e Barrow temos que tratar de muitos negócios – ele disse.

– Por favor. Prometi para Rosamund e Daisy. As meninas vão ficar tão decepcionadas.

Ela tinha prometido? Droga. Promessas não cumpridas era algo que ele evitava a todo custo. E o modo mais simples de evitar isso era não fazer nenhuma promessa. Essa noite ele teria uma conversa séria com Alexandra a respeito de promessas feitas em seu nome.

E talvez uns tapinhas de leve só para enfatizar o recado.

Mas isso seria à noite. Quanto a esta tarde... Aquele sedutor vestido amarelo parecia implorar para estar ao sol. Chase queria ver a brisa colar a musselina delicada nas pernas dela, queria vê-la desamarrar a fita da touca com a mão enluvada para então dar um sorriso tímido para ele.

E o que ele não queria era passar mais uma tarde em seu escritório com Barrow.

– Me dê uma hora para eu tomar providências – ele disse. – Diga às garotas que vamos ao parque.

– Obrigada, senhor. – Ela sorriu.

Depois que ela saiu, Barrow se virou para ele.

– Oh, mas isso não foi nem um pouco óbvio – ele disse com ironia.

– Você sabe, andei pensando. – Chase pegou o casaco e o chapéu. – Nós passamos tempo demais juntos.

– Não posso discordar. – Barrow bateu a pena na borda do tinteiro e continuou em tom baixo, sério: – Tome cuidado, Chase. Ela não é a única que vai acabar se machucando.

– Não se preocupe. As garotas nem desconfiam.

– Não estava me referindo às garotas, mas a você.

Chase bufou.

– Agora você está sendo ridículo.

– Estou?

– Está – Chase respondeu saindo do escritório, soando muito mais convencido do que se sentia.

– Estamos chegando? – Daisy perguntou, arrastando o pé pelo caminho batido.

– Não – Chase respondeu sem diminuir o passo.

– Você poderia diminuir o passo um pouco – Alex sugeriu num murmúrio. – Pelas garotas.

*E por mim.*

Após trotar ao lado dele por quase meia hora, Alex e as garotas estavam ofegantes e suando debaixo do sol naquela tarde de verão. Eles tinham chegado ao centro do Parque Hyde, onde o Serpentine se abria num lago.

– Tem gelado no parque? – Rosamund perguntou.

– Não faço ideia – Chase respondeu.

– Nos prometeram algo divertido. Não uma marcha militar.

Daisy parou no meio da trilha.

– Millicent está com disenteria.

Chase grunhiu.

– Não está, não. Ela estava muito bem um minuto atrás.

– O ritmo desumano foi demais para ela. Agora Millicent pode morrer a qualquer momento.

Alexandra decidiu intervir.

– Aqui. – Ela desfez o nó do colar em sua nuca, tirando seu pingente de coral e pendurando-o no pescoço de Millicent.

– Mas era da sua mãe – Daisy disse.

– Millicent pode usar hoje. Esse colar é especialmente eficaz contra disenteria. E o Sr. Reynaud vai prometer andar um pouco mais devagar.

– Na verdade, não precisamos andar mais – Chase disse. – Aí está sua surpresa, garotas. Está esperando ali adiante, na margem.

Quando Alex viu o que ele apontava, seu estômago se revirou. Um bote a remo balançava sobre a água ondulante, amarrado a um galho de árvore perto do lago. A pequena embarcação tinha sido pintada com cores alegres, e era dotada de uma vela branca e uma bandeira vermelha.

– Você... você pretende levar as garotas para velejar no lago?

– Não, nós vamos patinar no lago. Sim, velejar. Se é que dá para chamar disso, nessa escala minúscula. E não pretendo levar apenas as garotas. Você também vem.

– Oh. – A garganta dela funcionou, mas Alex sentiu como se estivesse tentando engolir papel. – É muita gentileza sua, mas vou esperar na margem.

– Bobagem. – Ele tirou o casaco e o pendurou no galho da árvore antes de arregaçar as mangas. – Você deve estar morta de vontade de voltar para a água. Claro que nem de longe é uma viagem em mar aberto, mas já é alguma coisa. É o melhor que posso lhe dar no momento.

Que querido. Ele tinha providenciado aquilo não só como um passeio para as garotas, mas também como presente para ela. Agora Alex entendia a razão para a marcha acelerada através de Mayfair e também pelo parque. Chase estava empolgado.

Por dentro, Alex queria chorar. Tudo nela dizia para que fugisse, mas como poderia decepcioná-lo?

*Use o bom senso*, ela disse para si mesma. *Seja racional. Como ele disse, este não é um navio mercante chacoalhando em mar aberto e tempestuoso. Não é nem mesmo uma barcaça no Tâmisa. É um bote no Serpentine, numa terça-feira de agosto, no meio de Londres. Não existe motivo para ter medo, então fique firme e vá em frente.*

Ela pegou a mão dele.

— Essa é minha garota — ele disse, a alegria nos olhos.

O coração dela palpitou e alçou voo, como uma fita solta pega pelo vento.

As garotas subiram a bordo do bote e começaram a se preparar para sua viagem inaugural como piratas de verdade. Millicent foi colocada na frente, como uma coroa decorando a proa do navio.

Enquanto as garotas desembrulhavam a vela, Alexandra ficava atenta a todos os movimentos.

— Rosamund, afaste-se da murada agora mesmo.

Chase estendeu o braço às costas dela num movimento discreto.

— Tire a tarde de folga, Srta. Mountbatten. Estou dispensando-a de seus deveres de aia.

Talvez ela pudesse deixar de ser uma aia durante a tarde. Mas Alex não conseguiria deixar de ser ela mesma. Continuava a ser aquela garota trêmula no escuro, presa entre a chuva grossa e o mar hostil. Ela continuava a ser aquela mulher gaga na Hatchard's, hipnotizada por olhos verdes marotos e pelo aroma de sândalo e menta.

Alex continuava sendo Alex. Chase continuava sendo Chase. E ela não podia mais negar que estava louca por ele, apesar de todos os argumentos racionais estarem contra. Tinha ficado encantada por ele no momento em que trombaram na livraria, mas agora Alexandra não conseguia se imaginar livre.

Aquele desejo sem esperança seria o fim dela. Ou, no mínimo, a morte de seu bom senso.

— Eu trouxe provisões. — Ele tirou uma garrafinha com rolha do bolso e o ergueu, exultante. — Temos rum.

As garotas comemoraram com vivas entusiasmados. Chase destampou o vasilhame e o passou para Daisy, que teve dificuldade para levá-lo aos lábios.

– Não se preocupe – ele sussurrou no ouvido de Alex. – É só água com melaço.

– Elas vão ter dor de barriga.

Chase agarrou a proa do bote e grunhiu ao tirá-lo da margem do rio. A segunda rodada de vivas das meninas foi ainda mais entusiasmada do que a primeira. Ele manteve um pé plantado com firmeza na margem e o outro no barco, mantendo o bote próximo. Então, gesticulou para Alex.

– Venha. Vou ajudá-la a subir.

Ela hesitou a alguns passos da água. O pânico cresceu em seu peito. O coração batia com tanta fúria que ela não conseguia ouvir nada a não ser seu próprio pulso frenético.

*Não consigo. Não consigo fazer isto.*

– De verdade, eu espero aqui. É muito pequeno para quatro.

– Não é não – Rosamund contestou. – Tem bastante espaço.

Daisy colocou as mãos nos quadris.

– Sr. Reynaud, você tem que fazer a Srta. Mountbatten vir.

– Concordo. Se ela não vem por bem, pirataria é a única opção. – Chase arremeteu, pegou Alex pela cintura e a levantou, tirando-a da segurança da margem e colocando-a no bote.

– Não consigo – ela disse. – Por favor, não consigo.

Quando Chase foi colocá-la no banco da embarcação, ela se agarrou ao pescoço dele. No barco, Daisy a puxou pela saia.

Alex começou a se debater, sem conseguir pensar em mais nada que não lutar para voltar à margem. O barco só balançou mais, piorando tudo. Em seu acesso de pânico, ela deu um chute violento.

Um chute que atingiu Millicent e a fez sair voando.

A boneca caiu espalhando água no meio do lago.

Daisy guinchou.

A princípio, a cabeça de madeira da boneca a manteve flutuando, e por alguns segundos pareceu que tudo ficaria bem – era só remar até o local, pescá-la com uma vara e a aventura só a tornaria um pouco pior. Ela tinha sobrevivido a provações muito piores.

Mas quando o corpo com enchimento de lã começou a absorver água, o impensável aconteceu.

A resiliente e indestrutível Millicent, que desafiava a morte, começou a afundar – levando com ela o pingente de coral de Alexandra.

– Não! – Daisy gritou. – Ela vai se afogar!

Chase recolocou Alex em terra firme.

– Não sob minha guarda.

Ele tirou as botas e o colete numa questão de segundos. Um talento adquirido, sem dúvida, despindo-se ao longo de anos. Quando estava apenas de camisa e calças, Chase mergulhou.

Ele nadou até o centro do lago, indo diretamente até o local em que a boneca tinha desaparecido. Mais de uma vez, ele mergulhou na água e permaneceu submerso por vários segundos antes de voltar de mãos vazias.

Toda vez que ele sumia de vista, submergindo, Alex também segurava a respiração. Daisy estava inconsolável. Até Rosamund tinha ido abraçar Alex.

Sete vezes, já, sem resultado. Ele devia estar ficando cansado.

Alex fez uma concha com as mãos ao redor da boca para chamá-lo.

– Sr. Reynaud! Volte para a margem!

– Não – ele gritou em resposta, afastando o cabelo da testa. – Não sem aquela boneca maldita.

Ele mergulhou de novo e dessa vez ficou fora de vista pelo que pareceu uma eternidade. Alex estava fora de si. Ele podia ter sucumbido à fadiga, ou desmaiado de falta de ar, ou se enrolado na vegetação... havia tantas maneiras de um homem morrer na água, e ela tinha testemunhado muitas delas.

Bonecas eram substituíveis. Em alguns casos, elas ressuscitavam. Seus *corales* podiam ser tudo que lhe restava da sua mãe, mas não eram de carne e osso. Nada mais importava naquele momento. Nada além dele.

– Chase! – ela gritou.

Enfim, ele emergiu. Não no centro do lago, mas perto da margem, pegando-a de surpresa. Ele saiu da água de forma magnífica, com a camisa translúcida colada ao tronco e o cabelo alisado para trás. Como Poseidon saindo do mar – brandindo uma boneca encharcada em vez de um tridente.

Chase Reynaud, deus do Serpentine.

E oh, ele parecia pronto para receber um pouco de adoração.

Chase sorriu para ela, homem horrível. Como se não tivesse lhe dado o maior susto de sua vida e os últimos dez minutos fossem algo normal em qualquer passeio no Parque Hyde.

Ele entregou a boneca para Daisy.

– Ela engoliu um pouco de água, mas acho que vai sobreviver.

Em vez de abraçar a boneca, Daisy grudou na perna de Chase, agarrando-se nele com seus quatro membros. Alex desejou poder fazer o mesmo.

Chase sacudiu a perna, mas Daisy segurou firme. Ele olhou para Alex.

– Você é a marinheira. Como se retira uma craca?

A sensação de ser um herói, para variar, foi ótima – ainda que tenha sido um herói fugaz, insignificante.

Contudo, no caminho de casa a sensação de triunfo de Chase foi se extinguindo, devido à exaustão de corpo e mente.

Quando chegaram à casa, Alexandra levou Rosamund e Daisy de volta ao quarto delas.

– Banho primeiro, garotas. Jantar depois.

Chase decidiu que essas eram ideias excelentes. Depois que tirou água e lama do lago de seu corpo, ele jantou no escritório e abriu uma garrafa de clarete para lhe fazer companhia enquanto examinava outra pasta de documentos de suas propriedades.

Era quase meia-noite quando Alexandra foi ter com ele. Os dois pareciam ter escolhido atividades semelhantes – o cabelo trançado dela estava úmido do banho e ela carregava um livro debaixo do braço.

– Vinho. – Ela suspirou. – Que ideia excelente.

– Venha me fazer companhia. Salve-me dos preços flutuantes do trigo em 1792.

Ele lhe serviu uma taça de clarete, que Alex aceitou com gosto, sorvendo metade da dose em um só gole. Ele tinha pedido para os criados acenderem a lareira essa noite, embora ainda fosse verão.

– Não sabia se você viria. Pensei que podia ter pegado no sono, também.

– Foi uma luta e tanto colocar as garotas na cama. Uma hora lendo *Robinson Crusoé*, mais dois pratos de pudim para cada uma.

– Pudim? Eu proibi pudim expressamente.

– Então da próxima vez você põe as garotas na cama – ela o provocou. – Já que sabe tanto dos melhores métodos.

– Acho que posso deixar passar. Dessa vez.

– Agora que elas dormiram, também preciso acalmar meus nervos. – Ela passou a ponta do dedo pela borda da taça de vinho. – Nada como uma ou duas horas olhando pelo telescópio para isso. Quando foco nas estrelas e no espaço entre elas, todas as minhas outras preocupações desaparecem.

Chase odiou que ela tivesse outros afazeres. Detestava, principalmente, que tantos deles fossem sua culpa.

– Você é um verdadeiro herói, agora – ela disse.

– Bobagem.

– Eu sinto muito. Foi tudo culpa minha.

– Não, foi minha. Não deveria ter forçado você. Não percebi como estava assustada. – Ele inclinou a cabeça. – Então me conte. Por que a filha de um capitão do mar, criada a bordo de um navio mercante, tem tanto medo da água.

O terror dela foi palpável nessa tarde. Hesitação teria sido compreensível. O pai dela tinha morrido no mar. Mas todo aquele pânico? Talvez houvesse algo mais naquilo.

Ele percebeu que ela não queria responder e decidiu não insistir.

– Também estou curiosa – ela disse. – Por que um homem com coração tão bom, disposto a mergulhar no lago para salvar uma boneca esfarrapada, tem medo de criar duas garotas órfãs.

– Não foi apenas pela boneca.

– Eu sei. Obrigada.

Ela tocou o pingente de coral na base de seu pescoço. Ele também ficou feliz de vê-lo em seu devido lugar. Ela o tinha prendido com uma fita nova – dessa vez, uma azul-safira.

– Você é tão bom nisso – ela continuou. – Em confortar, cuidar. Seria um tutor excelente. Morar com você seria muito melhor para elas do que qualquer colégio interno.

– Talvez elas gostem da escola. Eu gostava da escola.

– Naturalmente que gostava. Sua escola era cheia de travessuras, esportes e estudo de matérias importantes. Não bordado e etiqueta. Você foi ensinado a sair e conquistar o mundo. As garotas irão aprender a viver numa gaiola forrada de cetim. Eu sei. Frequentei uma dessas escolas. E, como Rosamund e Daisy, fui colocada lá por parentes que não queriam saber de mim.

– Isso é diferente.

– É mesmo? Você está rejeitando as meninas. Do mesmo jeito que todo mundo fez. Não pense que elas não sentem. E, se as mandar embora, nunca mais vão confiar em ninguém. Elas só querem sua atenção, você não vê? Mesmo que para isso precisem amarrá-lo com corda ou jogar um balde de água em você, ou inventar uma morte nova para a boneca todas as manhãs. Às vezes penso que Daisy faz isso só para ter uma desculpa para segurar sua mão uma vez por dia. E você precisa ver o modo como Rosamund olha para você quando está ocupado demais para reparar. Ela nunca vai admitir, mas está desesperada para conseguir sua aprovação. – Alex pegou a mão dele. – Chase, elas já amam você.

As palavras o abalaram, mas não mudaram nada. Ele não podia, não devia ser responsável pelo bem-estar de alguém. Mesmo que gostasse,

ou, que Deus o ajudasse, amasse essa pessoa. Ceder ao seu desejo por companhia seria de um egoísmo extremo.
— É impossível, Alexandra. Inconcebível.
Ela soltou um grunhido exasperado.
— Está sempre dizendo isso.
— Por um bom motivo — ele disse com firmeza.
— E qual bom motivo é esse?
— Da última vez que prometi cuidar de alguém, ele acabou morto.

## Capítulo vinte e dois

*Morto?*

Alex investigou os olhos dele. Seu impulso foi ignorar as palavras de Chase, deduzir que ele devia estar exagerando. Mas aquele olhar intenso, resistente, falava de algo maior que acidentes ou mal-entendidos. Arrependimento. Culpa. Dor.

Tanta dor.

– Conte-me – ela disse como uma exigência, não um pedido. Quaisquer que fossem os segredos dele, Chase precisava purgá-los antes que o devorassem de dentro para fora. – Chase, me conte.

A campainha tocou.

– Filho de uma puta – ela murmurou.

Ele ficou chocado.

– Nunca ouvi você xingar.

– Eu procuro não dizer palavrões. Mas cresci cercada de marinheiros. Com certeza sei como xingar.

O visitante noturno desistiu da campainha em favor de esmurrar a porta. Chase estava indo até a porta atender ele mesmo, mas um criado chegou antes dele. O visitante não esperou ser apresentado, apenas irrompeu na sala.

– Onde está Alexandra? – ele perguntou, impaciente.

– Tenho uma pergunta melhor. – Chase se interpôs entre Alex e o invasor. – Quem diabos é você?

Alex sorriu.

– Ele é o Duque de Ashbury.

Na verdade, não podia ser ninguém mais. Não era como se existissem dois duques altos e imponentes na Inglaterra com cicatrizes de um lado do corpo causadas por um foguete amigo na Batalha de Waterloo. O rosto marcado de Ashbury lhe dava uma aparência assustadora, intimidante. Mas Alexandra sabia o quanto ele era compassivo por baixo das cicatrizes e totalmente apaixonado pela esposa.

Ele também era um amigo excelente.

– Ash. – Alexandra emergiu das sombras e correu até ele, dando-lhe um abraço antes que Ash pudesse evitá-lo. – Por que você veio para Londres? Espero que esteja tudo bem com Emma e o bebê.

– Emma e o bebê estão ótimos. – Ele olhou por sobre o ombro, encarando Chase. – Quanto ao que estou fazendo em Londres, vim para plantar meu pé no traseiro de alguém.

– Pensei que você tivesse parado com a coisa de justiceiro.

– Eu também pensei. Mas esse seu patrão vai me tirar da aposentadoria. Eu vim assim que soube que você tinha vindo morar na casa dele. – Ashbury passou por ela para encarar Chase de frente. – Você merece saber que canalha desprezível ele é, Alex.

– Isso! – Chase exclamou. Ele pegou a mão de Ashbury e a sacudiu num cumprimento vigoroso. – *Obrigado*. Eu mesmo venho tentando dizer isso a ela, mas a Srta. Mountbatten não me escuta.

Ashbury pareceu um tanto desconcertado pelo cumprimento de Chase, e olhou para Alex com uma expressão do tipo "o que esse sujeito tomou?".

Alex só conseguiu dar de ombros.

– Sentem-se, vocês dois. – Chase foi pegar a garrafa de conhaque no aparador. – Ashbury, posso lhe servir uma bebida?

– Eu trouxe a minha. – Ash tirou um frasco do bolso do casaco e o destampou.

– Melhor ainda – Chase respondeu, servindo-se uma dose do conhaque. – Vá em frente. Não precisa me esperar.

Alex sentou no divã, pois sabia que nenhum dos homens se sentaria antes dela. Eles talvez não fossem exemplos brilhantes de cavalheiros, mas sabiam muito bem como se comportar quando desejavam. Ash sentou numa poltrona.

Ash virou-se para Alex e, ignorando o anfitrião, falou num tom grave e sério.

– Escute aqui, Alexandra. Este homem é um notório libertino. Eu já conhecia a reputação dele antes mesmo de me ferir. Todo mundo conhece. Nenhuma boa família o recebe.

— Esta vendo? — Chase voltou, puxando uma cadeira e se juntando aos dois. — Exatamente como eu estava lhe contando, Srta. Mountbatten. Sou o mais devasso dos mulherengos.

— Sempre estive a par da... popularidade do Sr. Reynaud com as mulheres — Alex disse, com cuidado.

— Ele tocou você?

Oh, e como! Mas o que aconteceu entre eles não era da conta de Ashbury.

— Ele não foi impróprio de nenhum modo.

— Tem certeza?

— Absoluta.

— Ora, ora. — Chase se remexeu na cadeira. — Seja sincera, Srta. Mountbatten.

— Estou sendo sincera. O Sr. Reynaud não me sujeitou a nenhuma atenção indesejada, nem se aproveitou de mim de qualquer modo.

Ash pareceu estar desconfiado, mas não insistiu no assunto.

— Seja como for, as aventuras sexuais dele são apenas a ponta do iceberg.

— Oh, eu ainda não apresentei a ponta a ela — Chase disse com alegria. — Não da forma adequada.

— Ignore-o — Alex disse ao duque. — Continue.

— Três anos atrás houve um acontecimento sórdido, suspeito, com o primo dele.

— Eu estava me perguntando quando chegaríamos a essa parte. — Chase tomou um grande gole de conhaque. — Essa é a parte boa. Preste atenção.

Ash deu outro olhar incomodado para Chase.

— Você nos dá licença? — o duque disse. — Estamos tentando conversar, aqui.

— Imagino que esteja falando do filho do duque — Alex continuou. — O que teria sido herdeiro, caso não tivesse morrido.

— O primo dele não morreu, apenas — Ash disse. — Ele foi morto.

— Com certeza você não está acusando o Sr. Reynaud de *assassinato*.

— Ele pode me acusar — Chase disse. — Meu primo não morreu pela minha mão, mas eu o matei mesmo assim.

Ashbury revirou os olhos.

— Se vai me interromper a cada dez segundos, é melhor você mesmo continuar.

— Sabe de uma coisa? É uma ótima ideia. — Chase colocou de lado o copo de conhaque. — Eu continuo, Ashbury. Tem algumas revistas de esportes na mesa de chá, se quiser se distrair enquanto nós conversamos.

Ash bufou alto.

Chase se inclinou para frente, apoiando os braços nos joelhos e juntando as mãos.

— Ele era o mais novo dos meus três primos, o melhor de todos. Seu destino era a igreja, não o ducado. Mas meu primo do meio morreu na guerra, e o mais velho teve um acidente de montaria pouco tempo depois. Então, de repente... Anthony virou o herdeiro. Com 20 anos de idade, sem experiência de vida nem preparo para o título. Ainda de luto pelos irmãos mais velhos e muito ingênuo. Meu tio o mandou passar a Temporada em Londres. Eu deveria mostrar a cidade para ele, expondo-o para a sociedade, ajudando-o a fazer amigos. Prometi cuidar dele. E... — Ele caiu para trás com um suspiro. — Eu falhei.

— Esse é um resumo bem generoso — Ash interveio.

— Vou chegar aos detalhes, Ashbury. — Chase continuou: — Não é surpresa, provavelmente, que minhas ideias de cultura e sociedade fossem um tanto diferentes das do meu tio. Levei meu primo aos clubes. Aos jardins de prazer. Aos teatros, tanto respeitáveis quanto os nem tanto. Ele precisava de experiências de verdade junto aos colegas. Confiança suficiente para saber se defender. Uma noite, nós chegamos ao clube. Depois fomos ver as dançarinas da ópera. Quando chegamos ao cassino, estávamos nos divertindo demais. Olhando para trás, percebo que ele estava mais bêbado do que eu imaginava. Mas eu também não estava sóbrio. Uma saia de cetim sedutora passou por nós. Eu flertei com ela, que correspondeu. Eu disse para mim mesmo que Anthony ficaria bem. Ele precisava aprender a cuidar de si mesmo em algum momento, não é? Então saí com ela. E não vi mais o meu primo vivo.

Alex se sentiu tentada a dizer algumas palavras de apoio, mas não quis interrompê-lo quando, evidentemente, ainda tinha muito a dizer.

— Ele acusou um homem de trapaça na mesa de 21. O sujeito negou, mas Anthony não desistiu. Foi o tipo de conflito que eu teria desarmado em questão de segundos, se estivesse lá. Mas não estava. A discussão esquentou, eles saíram e... — Chase esfregou o rosto com as duas mãos, e quando levantou os olhos de novo, seus olhos estavam vermelhos. — Se eu tivesse ficado de olho nele, como tinha prometido, poderia tê-lo salvado.

— Talvez você não quisesse salvá-lo — Ashbury disse. — Os boatos dizem que você mesmo o matou.

— *Ash*. — Alexandra ficou horrorizada.

— Ninguém viu essa "luta" acontecer no beco. Reynaud, convenientemente, não foi encontrado.

– Eu já disse que estava com uma...

– Uma mulher, sei. Que mulher era essa, mesmo?

O rosto de Chase ficou tenso, como se ele não quisesse responder.

– Não posso lhe dizer o nome. Nunca fiquei sabendo.

– Que conveniente.

– Você não pode acreditar que ele matou o primo a sangue-frio – Alexandra interveio.

– Talvez não. Mas a suspeita não é de todo irracional. Como o próximo na linha de sucessão, Reynaud era quem se beneficiaria diretamente da morte do primo.

– Não imaginava que você era do tipo de pessoa que espalha fofocas como esta – ela disse.

– Ele só está relatando os fatos – Chase disse. – Eu me beneficiei diretamente, e existem muitas pessoas que desconfiam que a morte do meu primo não foi por acidente. E então eu me tornei responsável legal pelo meu tio alguns anos depois. Seu amigo não é o único a considerar extraordinário que eu tenha ido de quarto na linha de sucessão do ducado a herdeiro presuntivo com tutela legal sobre o velho duque num período de poucos anos.

– Extraordinário mesmo – Ash comentou.

– Mas não acredite no boato de que a doença do meu tio é algum tipo de artifício. Quando viu o corpo inerte do único filho que lhe restava, de três, ele sofreu uma apoplexia ali mesmo. O velho está paralisado e incapaz de falar desde então – Chase disse com amargura. – Como você vê, eu não podia ter planejado isso... Mas para quem lê os jornais de fofoca, acabei me dando bem de qualquer maneira. Será que me esqueci de algo, Ashbury?

Ash se levantou.

– Esqueceu de que você é um sujeito ordinário, canalha, trapaceiro, sem eira nem beira.

Chase estalou os dedos.

– Ah, sim. Isso também. Seja lá o que quer dizer.

– Ashbury só xinga em shakespeariano – ela explicou.

O duque se voltou para Alexandra e cruzou os braços.

– Alex, espero que agora você o veja com clareza.

Que eu o veja *com clareza*?

A ideia de que Chase inventaria um plano para matar o primo e interditar legalmente o tio era absurda. Ela sabia que Ash adorava Shakespeare, mas aquilo não era uma apresentação de *Ricardo III*.

Para não mencionar que, se o Duque de Ashbury quisesse convencê-la de que Chase era um vilão, deveria ter enviado outra pessoa. Alguém sem um passado de inspirar boatos inverídicos.

– Condenado por toda Londres, é? – Alex disse. – Parece muito com a história de alguém que eu conheço. E de quem gosto muito. Um duque que não faz muito tempo se esgueirava por Londres usando o apelido de Monstro de Mayfair.

– Isso é completamente diferente.

– Mas os boatos eram, do mesmo modo, inventados e falsos. – Alex meneou a cabeça. – Sabe, vocês dois têm tanto em comum. Deveriam ser amigos.

– Nós não temos nada em comum! – Ash exclamou.

– Não é possível que alguém nos confunda – Chase concordou.

– Claro que não – Ash continuou. – Um de nós é um monstro repulsivo e o outro tem cicatrizes de Waterloo.

Ela falou por cima dos protestos deles:

– Vocês deveriam se ver agora. Estão fazendo caretas idênticas neste momento.

– Eu não estou fazendo careta – os dois homens disseram.

Em uníssono.

Fazendo careta.

Por sua vez, Alex não conseguiu conter um sorriso de convencimento.

– Bem, vocês dois parecem ter uma coisa em comum: a crença de que não tenho a capacidade de tomar minhas próprias decisões. Ash, você não precisa se preocupar, sabe que sempre fui a mais sensata da turma. Tenho uma cabeça boa e mantenho os pés no chão. Posso cuidar de mim mesma.

– Você não precisa ficar com ele aqui, Alex. Venha ficar conosco. Eu e Emma teremos prazer em recebê-la. E se você desenvolveu um interesse repentino por educação infantil, nós podemos contratá-la.

– Agradeço de verdade pela oferta. Mas não posso ir embora sem completar o trabalho para o qual fui contratada. As garotas precisam de mim. Ou melhor, elas precisam dele. E ele não é... – ela baixou a voz para um sussurro: – ele não é o que os outros pensam. Ele não é o que ele mesmo pensa.

– Você não...

– Por favor, mande um beijo para Emma e o bebê. E parabéns para o pai orgulhoso, também. – Ela o beijou no rosto. – Volte para sua família.

Enfim, ele cedeu.

Chase abriu a porta da frente num recado evidente para o duque ir embora.

Antes de sair, ele se voltou para Chase.

– Se você a magoar, ainda que só um pouquinho, irei eviscerá-lo.

– Entendi.

– Estou falando sério, Reynaud. Na verdade, estripá-lo seria bom demais para você. Vou sujeitá-lo ao meu gato.

– Ao seu gato? – Chase riu. – Ele vai miar para mim, eu imagino.

– Acredite em mim. Não estamos falando de um gato comum.

– Posso confirmar isso – Alexandra disse.

– Vou arrancar suas roupas, amarrar suas mãos às costas, passar salmão nas suas partes masculinas e trancar vocês dois num armário. Depois que ele esfarrapar suas bolas, vou reduzir o que restar de você a uma massa sanguinolenta e disforme.

– Bom Deus. – Chase pareceu um pouco horrorizado. – São tantos detalhes. Você planejou isso tudo só para mim ou tem uma lista de ameaças medonhas para usar quando a ocasião surge?

– Só fique longe dela, rei das braguilhas. – Ele agarrou Chase pela camisa. – Ou farei com que você deseje nunca ter nascido.

Chase se soltou das mãos de Ash.

– Tarde demais para isso.

{ *Capítulo vinte e três* }

Depois que o Duque Intrometido foi embora e levou seus planos de tortura felina consigo, Chase se voltou para Alexandra, cruzando os braços sobre o peito.

— Bem, espero que isso encerre o assunto. Está convencida?

— Convencida do quê, exatamente?

— De que sou o pior de todos os tutores possíveis. De que não importa o que eu queira fazer, ou mesmo se eu amo essas garotas. Se eu me importo com elas, não posso assumir a responsabilidade de cuidar delas.

— Ah, isso? Não, não estou convencida de nada disso.

Ele deu um tapa na própria testa e gemeu.

— Alexandra, vamos lá. Não consegui cuidar de um homem de 21 anos. Não foi um caso em que meu primo se meteu numa encrenca juvenil. Eu não consegui mantê-lo vivo.

— Chase. Eu sinto tanto – ela disse, sua expressão ficando terna e a voz ainda mais doce.

— Maldição, não sinta.

— Por que eu não deveria sentir? Você perdeu o primo num ato trágico de violência. É natural sentir compaixão.

— Você não prestou atenção? Dei minha palavra ao meu tio. Prometi que ficaria de olho nele. E quebrei a promessa, no pior lugar possível, no pior momento possível. Ele foi esfaqueado do lado de fora de um antro de jogatina e sangrou até a morte num beco. Sozinho. E onde eu estava? Numa estalagem sórdida com uma mulher cujo nome nem sei. Então não arrume desculpas para mim.

Ela deu um passo na direção dele.

– Eu...

– Estou falando sério. – Ele a manteve à distância com o braço estendido. – Não faça isso, Alex. Não tente colocar minha cabeça no seu colo e beijar minha cabeça aflita e acariciar meu cabelo. E me dizer que não tenho culpa, que sou incompreendido.

Ela franziu o nariz.

– Eu não pretendia fazer nada disso.

– Oh! – ele exclamou. – Tudo bem, então.

*Droga.*

Ela sentou no divã e bateu com a mão no lugar ao seu lado, convidando-o a sentar. Ele não conseguiu recusar. O que não foi surpresa, já que Chase nunca conseguiu resistir a um convite feminino para se aproximar. E essa era a raiz de todos os seus problemas.

Ela se virou para encará-lo, apoiando o cotovelo no encosto do divã e o queixo na mão. Ela estava linda e pensativa, e até mais linda por estar pensativa.

– Você cometeu um erro – ela disse. – Que não foi pequeno. Um erro grave, com consequências terríveis. Quebrou a promessa feita ao seu tio, e deixou seu primo sozinho quando deveria ter ficado ao lado dele. Você empunhou a faca que derramou o sangue dele? Não, embora não estivesse lá para evitar o fato.

Ele engoliu em seco um bolo que sentia na garganta.

– Se você se sente culpado, não vou tentar dissuadi-lo. Na verdade, eu o respeitaria muito menos se você *não* sentisse arrependimento.

– Como assim, você me respeitaria *menos*? Quando você começou a me respeitar?

– Não sei ao certo. Mas deve ter acontecido em algum momento. Se eu já não o respeitava antes, quando você salvou Millicent no Serpentine conquistou o respeito.

– Aquilo foi pura teimosia. Aquela boneca maldita não podia morrer para sempre. Não se eu pudesse evitar.

Ela abriu um sorriso contido.

– Eu sei. E é por isso que sei que você será um ótimo tutor das crianças. Por que você cometeu erros e aprendeu com eles.

– Aprendi sim. Aprendi que não posso ter responsabilidades.

– Sua única responsabilidade verdadeira é amá-las. Todo o resto vai se encaixar.

Ela começou a listar uma sequência de fatos com os dedos. Cubos de açúcar e garrafas de bebida não deviam estar disponíveis, ele imaginou.

— Você gosta delas. E elas o idolatram. Financeiramente, você pode atender a todas as necessidades delas. Elas vão quebrar coisas, e você vai gostar de consertá-las. — Ela chegou ao dedo mínimo. — Sem elas na sua vida, você vai ficar sozinho.

Essa última foi uma adaga no peito dele.

Alexandra estendeu a mão aberta para ele.

— Olhe, Chase, é claro como o dia. Tudo que você tem que fazer é estender a mão para elas. E segurar firme.

Ela não entendia. Chase não duvidava da sua capacidade de amar. Rosamund e Daisy tinham capturado seu coração poucas horas depois de entrar em sua vida. O problema era que ele nunca conseguiria parar de se menosprezar. A baixa autoestima foi o que o levou a se distrair nos braços de uma mulher. Não foi tédio nem desejo. Concentrar-se no prazer de uma mulher era o único modo de esquecer de sua vergonha. Quando uma amante envolvia sua cintura com as pernas; quando ele ouvia uma voz feminina rouca pedindo mais... Por alguns minutos abençoados, ele se sentia algo além de inútil.

Mas depois, então...

Bem, existe alguma palavra para algo que é menos do que inútil? Porque no instante em que acabava o sexo, era como ele se sentia.

Não importava quantas vezes tinha jurado que pararia – dizendo a si mesmo que devia ser homem o bastante para aguentar a merecida culpa, em vez de escondê-la nas profundezas do decote generoso de uma mulher –, inevitavelmente ele cedia à tentação. As noites eram escuras e quietas. As lembranças tiravam vantagem do vazio, correndo para preenchê-lo do mesmo modo que a água da chuva preenche uma vala.

Do modo que o sangue preencheu as frestas entre os paralelepípedos.

Do modo que punhados de terra preencheram uma cova.

Os clubes, as festas, o conhaque... ajudavam, mas não muito. Às vezes ele conseguia manter uma semana de celibato, às vezes duas. Mas no fim, ele sempre cedia.

Como é que ele conseguiria cuidar dessas garotas? Não conseguia nem manter as promessas que fazia a si mesmo.

— Pense nos boatos que circulam a meu respeito – ele disse. – Como posso criar essas meninas de modo respeitável quando as pessoas acreditam que sou um assassino? Você ouviu o duque. Não há como negar que a morte dele me beneficiou.

— Muito bem – ela disse. – Boa parte da sociedade duvida do seu caráter. Talvez tenha até razões para isso. Mas ao se retirar da sociedade, você só fez garantir que eles não tivessem nenhuma evidência contrária a isso. Mas ao verem você se dedicar a duas garotinhas, protegendo-as e encorajando-as para que cresçam e se tornem duas jovens admiráveis... isso ajudaria a fazer com que todos reconsiderassem suas opiniões, não acha?

Tudo que ela disse parecia tão lógico. Mas é claro que sim. Ela era sempre sensata.

Ele nunca tinha se dado conta do quanto ansiava por isso. Por alguém que não quisesse acusá-lo nem perdoá-lo, mas sentar para discutir os fatos de forma calma e racional.

– Se você lhes der a oportunidade, as pessoas verão que você mudou, Chase. *Você* vai ver que mudou.

Deus. Ele queria desesperadamente acreditar nela, e quase conseguia – ali, naquele momento, encarando o fundo dos lindos olhos dela e vendo-a olhar no fundo dos seus. Ele confiava mais na opinião dela sobre seu caráter do que na sua própria. Ela fazia com que ele quisesse ser melhor. Ela sempre foi assim, desde o começo.

Mas quando ela o deixasse, ele ficaria perdido de novo. Isso nunca daria certo, a não ser que...

A não ser que ele não a deixasse ir.

*Mantenha-a por perto. Faça-a ficar. Torne-a sua.*

Ele a puxou para si e a beijou.

Não havia mais reflexão na mente dele. Não havia mais lógica, razão ou sensatez. Apenas um impulso selvagem que ganhou vida e que ribombava em seu sangue como um tambor ancestral em que seus antepassados das cavernas provavelmente batiam durante as cerimônias de acasalamento, seguidas por um banquete de antílope cru. Cada batida ecoava como uma necessidade primitiva.

*Quero. Preciso. Tornar. Meu.*

Ele a deitou no divã, abrindo uma trilha de beijos quentes, intensos, em seu pescoço, arranhando seu ombro com os dentes. Ele levantou a camisola dela com uma mão, empurrando-a para acima das coxas e levando a mão ao cerne dela. O lugar em que ela também era selvagem, carente e não civilizada.

Após abri-la com um toque leve, ele enfiou dois dedos em seu calor. Ela não estava pronta como costumava ficar com as carícias que ele fazia com as mãos e a língua. Mas nessa noite ele não estava com paciência para delicadezas. Ele foi fundo, adorando o aperto do sexo dela e também os gemidos que ela soltava.

Chase levou a mão aos botões da calça e soltou o membro. Ele deslizou a extensão grossa e dura na abertura dela, esfregando-o ali até ela estar molhada para ele. Então ele recuou e passou a mão no membro, umedecendo-o com a essência dela. Com os quadris, Chase abriu as pernas de Alex e colocou a cabeça da ereção na entrada dela.

– Alex, por favor. Deixe que eu a possua.

– Chase, espere.

– Eu quero você – ele murmurou. – Preciso disso. Estar dentro de você. Torná-la minha.

*Minha.*

Depois que ele disse a palavra, esta ecoou em cada batimento de seu coração.

*Minha. Minha. Minha.*

Ela pôs as mãos nos ombros dele e o empurrou.

– Eu sei que você não quer isso. Não de verdade.

– O diabo que não quero. – Ele apertou a ereção na coxa dela, mostrando-lhe a prova de que queria.

– Não é o que estou dizendo. Sei como você se sente com relação ao ato sexual. Ou trepar, se preferir chamar assim.

– Não prefiro chamar assim. – Não agora, não com ela. Ele se afastou, ofegante.

– Você sempre faz isso – ela afirmou. – Deixa que seu corpo assuma o controle quando quer esconder o coração. Neste momento, você está sofrendo. Não quero me aproveitar de você.

– Então acha que *você* pode se aproveitar de *mim*. – Ele riu. – Ora se você não é o máximo.

– Ora se você não é arrogante. – Ela levantou, baixando a barra da camisola e do robe. – Boa noite, Chase.

Ela foi embora do quarto.

Chase deixou a cabeça cair para trás no divã e ficou olhando para o teto. Ela foi inteligente em se afastar, mas estava errada sobre quem estaria se aproveitando do outro. Ele a estava usando. Não do mesmo modo que usava suas outras amantes, mas usando-a mesmo assim. Forçando-a a aceitá-lo, a redimi-lo. A cobrir todos os pecados e defeitos que ele não queria encarar dentro de si mesmo.

Malditos olhos.

Ele precisava sair. Sair daquela casa, lembrar-se de quem era – antes que a machucasse de modo irreparável.

Felizmente, Chase conhecia o lugar perfeito.

{ *Capítulo vinte e quatro* }

Uma semana em Hertfordshire era tiro e queda para extinguir até o mais leve desejo erótico ou quaisquer devaneios românticos. Pelo menos Chase esperava que o lugar tivesse esse efeito nele. Era evidente que os moradores locais tinham continuado a casar e procriar, mas não residiam na propriedade Belvoir. Eles não passavam os dias tentando extrair informações a respeito do esterco das ovelhas ou da rotação de lavouras de um administrador de terras cético que cuidava da fazenda há mais tempo do que Chase existia. Eles não precisavam passar suas noites ruminando numa mansão cavernosa, quase vazia, seguidos pelos olhos de ancestrais decepcionados em seus retratos emoldurados.

E eles não precisavam passar uma hora tensa sentados ao lado de um idoso desolado que tinha perdido a capacidade de falar e se mexer, mas que manteve a habilidade de encarar Chase com um olhar azul-aquoso que gritava, mesmo sem palavras: *Isso é culpa sua.*

O pasto negligenciado, o silêncio vazio, o tio entrevado e a falta de um herdeiro.

*Isso é culpa sua.*

Então, não. Ele não deveria estar pensando em Alexandra ou nas garotas.

Droga. Seu plano tinha falhado miseravelmente. Durante toda a maldita semana ele lutou contra a tentação de ir embora. Era como se a Casa Reynaud prendesse a extremidade de uma corda, e ele tivesse passado a semana puxando a outra ponta, usando cada músculo que possuía para resistir. Tudo que conseguiu pelo esforço foram dores.

A cada noite ele adormecia desejando que Alex estivesse aconchegada ao seu lado.

A cada manhã ele acordava imaginando do que Millicent tinha morrido naquele dia.

Durante sua cavalgada de volta a Londres, ficou pior. Uma nuvem de chuva se abriu bem em cima dele, lavando o estrume de ovelha e a poeira de suas costas, deixando-o tremendo, com frio, desesperado para estar em casa.

E por casa seu coração entendia estar com elas.

Quando finalmente chegou, Alexandra correu ao seu encontro de braços estendidos. Deus. Ele quase caiu de joelhos. A viagem o tinha deixado cansado, imundo – despojado de seu objetivo de ser respeitoso. Se ela o abraçasse, ele não saberia de onde tirar forças para resistir.

Ele se apoiou no corrimão da escada.

Em vez de abraçá-lo, contudo, Alexandra rodeou-o, enfiando as mãos no fundo de seus bolsos com movimentos autoritários. As mãos dela estavam cheias de pequenos mistérios arredondados, e ela os enfiou em todos os lugares possíveis, atingindo-o nas costelas e no peito.

– Doces para as meninas – ela explicou, vendo a expressão estupefata dele. – Assim você não volta de mãos abanando.

Ele só conseguiu ficar olhando para ela.

– Você podia ter me avisado que ia viajar – ela o repreendeu. – Devia, no mínimo, ter avisado as meninas. Não foi fácil acalmá-las. Mas eu disse que deviam esperar que você se ausentasse de vez em quando. Afinal, é herdeiro de um duque, um homem importante com deveres e tudo o mais. – Depois de colocar os doces em seus bolsos, Alexandra recuou e alisou as lapelas do paletó de Chase. – Ensinei uma música para elas, enquanto você esteve fora. É uma canção do mar, mas deixei de fora as partes indecentes. Elas querem muito cantar para você.

– Não quero ouvir.

– Quem sabe amanhã, então.

– Não. Amanhã também não. Nem depois de amanhã. Não vou aplaudir as músicas delas nem encher os bolsos de doces e presentes.

– É só uma canção e alguns doces.

– Você sabe muito bem que é mais do que isso.

Uma raiva irracional se inflamou no peito dele. Ele tinha se exilado por uma semana para *romper* esses laços, apenas para voltar e descobrir que ela o tinha sabotado enquanto isso. Como Alexandra ousava fazer Rosamund e Daisy acreditarem que os três podiam constituir uma família? Se fosse necessário que ele as magoasse, era melhor agora e não mais tarde. A última coisa de que precisava era que Alexandra desse esperanças a elas.

Ou a ele.

Chase a pegou pelos braços.

– Eu nunca fiz promessas para Rosamund e Daisy. Nenhuma. Agora você as fez em meu nome, deixando-as prontas para se decepcionarem. Se essas garotas ficarem desiludidas – ou melhor, *quando* essas garotas ficarem desiludidas –, a culpa vai ser sua, Alexandra. Não minha.

Ele esperava que ela tremesse. Que se afastasse dele, magoada por suas palavras.

Em vez disso, ela levantou a cabeça e o examinou com olhos curiosos.

– Você está se sentindo bem?

– Estou ótimo. E falei a sério cada palavra que acabei de dizer.

– Você não parece estar bem. Seu rosto está muito pálido. É fadiga da viagem?

– Se estou exausto, a culpa não é da viagem. Não aguento mais ter essa conversa uma vez após a outra.

Ela encostou o dorso da mão no rosto dele.

– Você está febril.

– Não estou febril. Pelo amor de Deus.

Chase supôs que seu rosto *pudesse* estar quente. E talvez o rosto dela estivesse deformado nas bordas. Talvez o apoio no corrimão fosse essencial caso ele desejasse continuar em pé. Mas todas essas coisas vinham da raiva, não de doença.

– Chase – ela disse com carinho, passando o braço pelo dele. – Acho que é melhor você subir e se deitar. Vou levar chá para você.

– Pare de cuidar de mim. – Ele sacudiu o braço para se livrar dela e cambaleou escada acima, a grande custo. Parecia que alguém tinha pintado a escada com melaço enquanto ele esteve fora. – Você não está prestando atenção? Estou furioso. Com você.

– É claro que está – ela entoou.

Bom Deus. O que seria necessário para ela entender a mensagem? Transmiti-la por meio de bandeiras marítimas?

Ele parou no patamar da escada, sem fôlego.

– Não quero você aqui. Não quero elas aqui. Vou pôr um cartaz na porta amanhã. Mulheres Não São Permitidas. Nem mesmo as bonecas.

— Nenhuma mulher? Isso pode interferir nos seus planos para a Caverna da Devassidão.

— *Você* interferiu nos meus planos da Caverna da Devassidão. Essa é outra coisa que tenho contra você.

O sorrisinho divertido dela fez a cabeça dele girar de frustração.

— Isto é sério, Alex. Não estou sendo engraçado.

— Oh, sem dúvida.

Maldição. Nada daquilo estava saindo certo. O cérebro dele zunia como uma colmeia de vespas. Seu corpo todo doía.

— Pare de olhar para mim desse jeito — ele grunhiu.

— E que jeito é esse?

— Como se você gostasse de mim.

— Eu gosto.

— Como se esperasse que eu também goste de você.

— Você já não gosta?

— *Não*. — Ele soltou o corrimão, esticou-se e reuniu toda sua força restante para declarar sua posição. — Quando chegar o outono, as garotas irão para a escola. Você vai perder seu emprego. Vou dar adeus a vocês três e continuaremos com nossas vidas separadas. Sem ligações. — Ele lançava as palavras como projéteis. Tiros, flechas. Meteoros, cometas. Ervilhas secas lançadas por um canudo. Qualquer coisa com alcance suficiente para machucar. — E nossas aulinhas no meu retiro? Acabaram. Nós acabamos. Não sei que tipo de sonho você vendeu para si mesma, mas está na hora de acordar. Nada mudou. *Nada*.

Ele se detestou por dizer aquilo de modo tão contundente. Mas parecia que precisava ser feito. Qualquer alternativa teria sido mais cruel, no fim.

— Pronto. — Ele encheu os pulmões de ar. — Espero que tenhamos nos entendido.

— Acho que sim. — Ela assentiu.

— Ótimo.

E então, para pôr um ponto final irônico em seu pequeno discurso, Chase deus dois passos de lado e desmaiou aos pés dela.

---

— Chase. — Alarmada, Alexandra o sacudiu pelo ombro. — *Chase*.

Não houve resposta, além de um balbucio baixo. Algo sobre ovelhas e esterco.

Ela soltou a gravata dele. Minha nossa, Chase ardia em febre. A respiração dele saía em roncos superficiais. Estava mais doente do que ela tinha pensado.

Alex entrou em ação. Em meio a acordar a criadagem, chamar médicos, ferver água para o chá e arrastar um homem de 96 quilos até a cama, as horas seguintes passaram voando.

Os dias seguintes, por outro lado? Arrastaram-se como uma lesma.

Quanto mais tempo Chase permanecia doente, mais Alex enlouquecia. A natureza da relação dela com o dono da casa era – ela esperava – um segredo para todos, exceto eles dois. Ela não tinha uma desculpa para visitar Chase em seu quarto, muito menos para sentar ao seu lado e ficar de vigília durante a noite, como gostaria de fazer. Ela também não podia usar a desculpa de levar as garotas para uma visita. O risco de contágio era grande demais.

A situação serviu como uma dose dolorosa de realidade. Um lembrete de sua verdadeira posição na vida de Chase. Ela gostava de se achar algo mais do que apenas outra das amantes ilícitas do patrão, mas não era. Não de verdade. Não de qualquer modo que valesse.

Ela não podia reivindicar nenhum sentimento sobre ele.

As únicas notícias que tinha vinham de ouvir partes de conversas e informações trocadas entre os criados. Os médicos iam e vinham, eles diziam. O Sr. Reynaud não estava melhorando. Uma pneumonia tinha se alojado nos pulmões dele e sua febre não cedia.

Alex mostrava coragem diante de Rosamund e Daisy, mas o medo apertava-lhe cada vez mais o coração. Chase era um homem forte, saudável, no auge da vida. Mas mesmo homens fortes, saudáveis e no auge da vida podiam ser abatidos sem aviso. Ela sabia muito bem disso.

Depois de três dias ela não conseguiu aguentar mais. Alex esperou até a casa ir dormir e arriscou ir até o quarto dele. Com certeza haveria algum criado presente, assistindo-o. No caminho, ela foi inventando uma dúzia de desculpas esfarrapadas. A Sra. Greeley estava chamando, ou um novo cataplasma tinha sido preparado, ou ela, a aia, tinha sido encarregada de ficar com ele durante uma hora – por algum motivo insondável, numa casa cheia de criados.

Para seu alívio, ela o encontrou sozinho.

Alex correu para o lado dele.

– Chase.

As pálpebras dele se entreabriram e ele gemeu por entre os lábios rachados.

– Sou eu. Alex. – Ela afastou o cabelo molhado de suor da testa dele. Bom Deus, ele continuava ardendo em febre.

Ela pegou um pano no lavatório, molhou na água fria e limpou a testa e o pescoço dele.

– Alex. – Ele abriu os olhos vermelhos, esforçando-se para focar o rosto dela. – Desculpe, amor. Não posso dar-lhe prazer hoje. Estou doente.

Ela riu alto, mesmo com as lágrimas de alívio subindo aos seus olhos. O verdadeiro Chase estava ali em algum lugar.

– Eu sei que você está doente, querido. Está tudo bem. – Ela beijou a testa dele.

A porta atrás dela foi aberta. Alex levantou-se de um pulo e deu meia-volta. O Sr. Barrow entrou no quarto.

– Eu não queria ser inconveniente – ela gaguejou. – As crianças têm perguntado como ele está. Eu pensei em...

– Não se preocupe. Não é necessário inventar desculpas. Eu sei sobre vocês dois.

Ela ficou pasma por um instante. Depois, reencontrou a língua.

– Eu também sei de vocês dois.

– Ele lhe contou?

– Eu adivinhei – ela afirmou.

– Não me surpreende. – Barrow puxou uma cadeira e eles se sentaram um ao lado do outro, perto de Chase. – Você é inteligente. E ele não é muito bom em esconder as coisas quando gosta de alguém.

– Não, ele não é. E você é um advogado com muito potencial para aceitar esse emprego sem um bom motivo. Ninguém teria Chase como patrão a menos que estivesse desesperado por trabalho ou que gostasse dele demais para ir embora.

– Então, o que tem mantido você aqui? – A voz dele soou baixa, mas firme. – Desespero? Ou amor?

– Para ser franca, também tenho me feito essa mesma pergunta. Um pouco das duas coisas, eu acho.

Chase tinha caído num sono agitado. Sua respiração ruidosa era um acompanhamento perturbador para a conversa.

– Ele não está melhorando, está? – ela perguntou.

– Não. – O Sr. Barrow exalou ruidosamente. – Por mais que eu deteste até pensar na ideia, o advogado em mim é cruelmente pragmático. Pode ser que precisemos nos preparar para o pior.

Um caroço dolorido se formou na garganta de Alex.

– O que aconteceria com as garotas?

– Por enquanto, ficariam sob a tutela do velho duque, assim como tudo ligado à propriedade. Isto é, até o próximo na linha de sucessão receber a tutela legal.

– Elas já passaram por tanta coisa. Jogá-las com algum desconhecido de novo, bem quando estavam começando a se sentir seguras...

– Vou fazer o possível para defender os interesses delas. Mas, no fim, as decisões não serão minhas.

– Eu sei. E não seria só a mudança que acabaria com elas. As meninas o adoram.

– Todos nós adoramos. – Ele suspirou. – Sabe lá Deus por quê. Chase é um cretino tão grande.

– É mesmo. – Uma lágrima quente correu pela o rosto dela.

O Sr. Barrow pegou sua mão.

– É provável que toda essa conversa não dê em nada. Ele não vai se entregar tão fácil. Na escola, Chase estava sempre brigando com os outros garotos. Na maioria das vezes, para me defender. Veja, ele não era motivado apenas por amor fraterno. Ele copiava toda a minha lição de casa. Sem mim, nunca teria passado em um único exame. Mas ele sabe como se defender.

– Neste momento, ele está lutando com as duas mãos amarradas atrás das costas. – Alex se inclinou para frente, determinada. – Nós temos que melhorar as chances dele, de algum modo. Não podemos só ficar sentados assistindo.

– Todos os tratamentos usuais falharam. Sangrias, purgantes... fazê-lo suar, matar a febre de fome. Nada que os médicos tentaram funcionou.

– Então vamos dispensar os médicos – ela disse com firmeza. – O que tentarmos não vai fazer com que ele piore.

Barrow a encarou e concordou com a cabeça.

– Muito bem.

Ela se levantou e tirou o pesado cobertor de lã de cima de Chase.

– Primeiro temos que baixar a febre dele. Compressas e banhos frios. E ele está suando tanto que deve estar morrendo de sede. Deveríamos estar dando de colher todo caldo e chá que ele puder tomar.

– Vou pedir a Elinor um cataplasma aromático para pôr no peito dele.

– Elinor?

– Minha mulher. Quem sabe você a conheça algum dia. Vocês se dariam bem. – Ele levantou a cabeça de Chase para que Alex colocasse um pano frio debaixo do pescoço dele. – Chase e eu nascemos com apenas três semanas de diferença, menos de um ano depois que os pais dele se casaram. Só isso basta para mostrar quanto valor meu pai biológico dava aos seus votos de casamento.

– Deve ter sido difícil para você.

– Nem tanto. Fiquei com a melhor parte. Meu pai se ofereceu para casar com minha mãe e me criou como filho dele, com amor e princípios. Não havia qualquer afeto na casa dos Reynaud.

Alex hesitou.

– Por que está me contando isso? – ela perguntou.

– Porque quando se trata de amor, Chase não tem ideia do que está fazendo. Ele é ótimo para cuidar dos outros. Mas é péssimo para deixar que os outros cuidem dele.

É claro. Claro que sim. Fazia semanas que Alex dizia a Chase para manifestar seu amor pelas garotas, mas ela estava usando a abordagem errada. Chase precisava acreditar que merecia o amor delas.

Antes disso, contudo, ele precisava não morrer.

– Bem. – Ela afofou o travesseiro dele. – Ele vai receber cuidados agora, quer goste ou não.

## Capítulo vinte e cinco

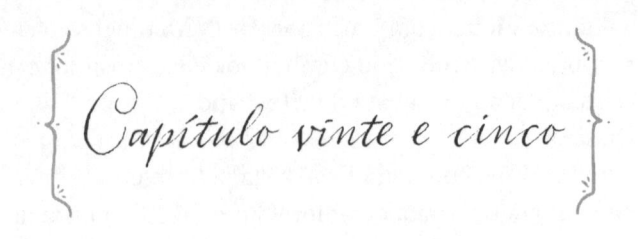

Chase ganhava e perdia consciência. Ondas suaves banhavam seu corpo. Água fresca e fria caía em seus lábios. Murmúrios calmantes iam e vinham. Aroma de ervas e limão pairavam à volta dele. E flores de laranjeira. Sempre flores de laranjeira. Como se ele estivesse flutuando num mar de Alexandra. Ou se afogando nele. Era difícil dizer.

Ele acordou de manhã – tinha que ser de manhã, com aquela luz estocando seu olho em cheio – e a encontrou adormecida ao lado da cama, a cabeça enterrada nos braços.

– Alex.

– Chase? – Ela ergueu a cabeça. – Chase. – Ela encostou o dorso da mão na testa dele. Quando falou, sua voz soou entrecortada de emoção. – Graças a Deus.

– Eu disse que não estava doente. – Ele lutou para se colocar sentado. – Acho que só estava precisando de uma boa noite de sono.

Ela arregalou os olhos para ele.

– Uma noite de sono?

Ele esfregou os olhos e praguejou.

– Não diga que você me deixou dormir durante um dia e meio. Bom Deus.

– Chase, faz uma semana.

– Uma semana? É impossível. – Ele notou o cabelo embaraçado e as olheiras escuras dela. – O que aconteceu com você.

– Se acha que minha aparência está ruim, deveria olhar para si mesmo. Você teve pneumonia. Ardeu em febre durante dias. Nada menos que três médicos o atenderam. Deixou todo mundo tão preocupado!

— Você não precisava ter se preocupado. Estou bem.

Ele coçou o queixo e percebeu que a barba havia crescido. Uma semana. Que inferno. Ele tirou as pernas pesadas da cama e se preparou para levantar. Faria bem a ele se lavar e barbear. Talvez voltasse a se sentir humano outra vez.

— Nem tente. — Ela pôs a mão no peito dele. — Você ainda não está pronto para levantar.

— Eu posso decidir isso sozinho, muito obrigado. — Ele afastou a mão dela. Plantando os pés no chão, impeliu seu peso para fora da cama e levantou. Por uma fração de segundo. Então os joelhos dele se dobraram e Chase se viu sentado na cama de novo, com pontos pretos e brancos flutuando diante de seus olhos. — Eu decidi que ainda não estou pronto para levantar.

Enquanto esperava recuperar a sensibilidade nos joelhos, olhou ao redor, para a nova aparência do seu quarto. As tapeçarias da cama tinham desaparecido, e as paredes pareciam ter recebido um novo papel. Olhando melhor, ele viu que estavam cobertas por desenhos e cartas — tudo feito por crianças. Ele tirou uma que estava grudada acima de sua cabeceira.

*Caro Sr. Reinod,*
*A Sam disse que toda vez que você beija a Srta. Montbadin, a gente vai passear. Por favor, melori logo e beje ela.*
*Daisy Fairfax e Milisent Fairfax*
*P.S. Eu fiz um desenho de trige, mas não ficou muito bom.*

Alex espiava por cima do ombro dele.

— A escrita dela está melhorando bem, não acha? Está certo que a ortografia precisa melhorar. Mas eu gostei do tigre.

O estômago de Chase doeu, e não foi de fome.

Alex pegou um papel na mesa de cabeceira, desdobrou-o e colocou-o na mão dele.

— Este é de Rosamund.

*Prezado Sr. R..*
*A Srta. M. disse que eu precisava escrever uma carta de confissão. Eu peguei 4 xelins e um botão de madrepérola da sua escrivaninha na última segunda-feira. Mas já devolvi tudo. Sinto muito ter cometido ato tão repugnante. Por favor, tenha piedade*

*desta pupila rebelde. A Torre de Londres é mal iluminada demais para que eu possa ler lá.*

*Atenciosamente, etc..*
*Sam F*

— Desconfio que ela pegou mais dinheiro do que isso – Alex disse. – Mas só a peguei com os quatro xelins.

— Entendo.

— Oh, preciso enviar uma mensagem para John agora mesmo. Ele passou a noite toda aqui e foi para casa dormir. Vai ficar tão aliviado de saber que você acordou.

— John? – Chase ficou confuso. – Quem é John?

— O Sr. Barrow.

— Você está tratando meu advogado pelo primeiro nome?

— Não. Estou tratando seu *irmão* pelo primeiro nome. Desde que dispensamos os médicos, estamos nos revezando para cuidar de você. – Ela pegou uma xícara. – Aqui, tome este caldo.

Ele empurrou a xícara.

— O que está fazendo?

— Você precisa se alimentar para recuperar a força. Acho que vou levar as garotas para tomar um gelado e trazer um para você. Vai demorar alguns dias até que possa ingerir comida sólida, mas já é alguma coisa diferente de caldo de carne.

— Não é o caldo de carne – ele disse com irritação.

Droga, aquela semana toda no interior tinha sido por nada? Chase pretendia ter colocado distância entre eles, mas o que estava acontecendo era o oposto de distância. Era proximidade. Intensa, insuportável, diferente de tudo que ele conhecia. As paredes estavam se fechando em torno dele, com seus tigres de dentes afiados e suas palavras doces.

— Eu lhe disse, sem deixar margem para dúvidas, que nós tínhamos chegado ao fim disso! – ele exclamou. – Você, eu, as garotas. Então eu acordo com você cuidando de mim, me dando colheres de caldo de carne. Desenhos de flores e tigres e navios piratas por todas as paredes. – Ele fez um gesto irritado. – Por Cristo, Alex. Quando é que você vai desistir?

Ela ficou parada por um momento e então colocou a xícara na mesinha com um baque.

— "Por que a filha de um capitão do mar teria medo de barcos?", você me perguntou no dia em que partiu. Lembra disso?

Chase ficou tonto com a mudança rápida no rumo da conversa.

– Acho que sim.

– Vou lhe dizer por que tenho medo de barcos. Perdi meu pai quando eu tinha 12 anos. O *Esperanza* afundou numa tempestade. Ele jogou um cobertor sobre meus ombros e me obrigou a partir no bote do capitão. Me disse para remar o mais rápido que pudesse. Prometeu me chamar de volta quando o navio estivesse em segurança, mas a embarcação já estava se partindo. Meu pai ordenou que a tripulação fosse para o escaler. Ele continuou tentando até o fim, para garantir que todos os seus homens escapassem em seguranças, mas... – Ela engoliu em seco. – Como dizem, o capitão afunda com o navio.

Deus Todo-Poderoso. Ela deve ter ficado aterrorizada.

– Eu tentei reunir o resto da tripulação. – Ela meneou a cabeça. – Mas estava escuro demais, e as ondas, muito altas. Em poucos momentos nos separamos e não consegui mais chegar até eles. Gritei e gritei até ficar rouca. Talvez eles também tenham afundado e morrido. Quando a manhã chegou e o céu clareou, eu estava sozinha. À deriva no meio do oceano. Um tripulante de um brigue inglês me viu por acaso e vieram me resgatar. Pergunte-me quantos dias eu esperei.

– Querida, você não precisa...

– Oito – ela disse. – Oito dias.

*Jesus.*

– Sem provisões. Só um pouco de água de chuva. Não dá para descrever. Como o tempo se arrasta quando você está morrendo de sede. Cada respiração, cada engolida em seco. É tudo no que se consegue pensar. No fim comecei a delirar e isso foi uma misericórdia. Ainda volto para lá nos sonhos. Não imagino o barco nem a tempestade. Apenas me sinto à deriva no escuro e, quando acordo, estou desesperada por água.

– Então, naquela noite em que você apareceu na cozinha...

Ela anuiu.

– Alex, eu sinto tanto.

– Você não precisa ter pena de mim. Estou aqui. E estou viva. Então esta é sua resposta, Chase. Quando vou desistir? Não vou. Não desisti de mim mesma nessa época. Não vou desistir de você agora. – Ela alisou o avental. – Agora vou me arrumar, levar as garotas para tomar gelados, eu mesma vou tomar dois e não vou trazer nenhum para você. Quando nós voltarmos, vou trazer Rosamund e Daisy para visitá-lo, e você vai se comportar. Trate-me do jeito que quiser, mas não vai menosprezar as meninas por amá-lo. Não vou permitir. E não gaste mais seu fôlego com aquela bobagem de "causa perdida". Considere-se achado.

– Espere. – Ele tentou se levantar de novo, mas tinha perdido a força que ainda tinha na primeira tentativa. – Não vá. Me dê uma chance de...

– Ah, a propósito. – Ela parou na porta. – Enquanto estava doente, você se mijou. Duas vezes. Só para você saber.

⭐

As piratas mantinham Chase cativo, e dessa vez não seria possível desfazer o nó para fugir. Ao longo dos dias de sua lenta recuperação na cama, ele foi doutrinado no Código dos Piratas, tiraram suas medidas para uma perna de pau e lhe deram um brinco de argola em ouro. (Só Deus sabia onde Rosamund tinha roubado aquilo.) Seu chá e seu caldo eram servidos em rações de navio, a cada duas horas.

Alexandra tinha ensinado bem suas marujas. Tão bem, na verdade, que ela nunca precisava participar do trabalho. Chase tinha a sensação de estar sendo punido. E também tinha a sensação de ter feito por merecer.

O que ela estava lhe dando, contudo, era uma excelente motivação para se recuperar.

No quarto dia ele estava farto. Se tivesse que escutar mais uma vez Daisy ler o livro sobre garotas escalando torres e meninos colhendo flores, ele iria enlouquecer.

Quando as garotas chegaram naquela tarde, encontraram Chase fora da cama, banhado, vestido e pronto para fazer algo, qualquer coisa que não bancar o convalescente.

– Oh, droga. – Daisy fez bico. – Você fez a barba. Era um prisioneiro melhor quando estava desleixado.

– Melhor assim – Rosamund disse. – Agora que está apresentável, pode vir ao chá conosco.

– Chá?

– Nós vamos tomar chá na casa de Lady Penny – Daisy disse. – Faz duas semanas que estamos indo. Ela é amiga da Srta. Mountbatten e tem um porco-espinho. E uma lontra chamada Hubert, uma cabra chamada Marigold e um cachorro de duas pernas que atende por Bixby, além de um monte de animais.

– Literalmente – Rosamund interveio.

– Hoje vão me deixar fazer carinho no porco-espinho se eu souber me comportar. Além disso, a Srta. Teague faz os biscoitos mais deliciosos.
– Daisy pegou Chase pela mão e puxou. – Você podia ir com a gente.

– Acredito que não fui convidado – ele respondeu.

– Você pode ir. Isso é, se quiser – Alexandra estava no vão da porta. Usava aquele cativante vestido amarelo de novo, e de repente ele sentiu que precisava de sol.

E da companhia dela, também.

– Tem certeza? – Eles se entreolharam e Chase procurou na expressão dela qual seria seu verdadeiro sentimento. – Não desejo ir aonde não me querem.

– Lady Penélope o receberia com prazer. – Ela enfiou os dedos nas luvas com movimentos curtos, impacientes. – Ela recebe toda criatura que passa por sua porta, não importa quão malcomportada.

Chase sabia reconhecer o tom entusiasmado do convite de uma mulher, e não era esse o caso. Alex esperava, evidentemente, que ele declinasse.

Nessa tarde, ele a decepcionaria mais uma vez.

– Vou pedir a carruagem – ele disse.

## Capítulo vinte e seis

Alex foi brigando consigo mesma o caminho todo até a casa de Penny. Por que ela o tinha convidado? Havia ficado tão aliviada de vê-lo bem e forte outra vez que não pensou com clareza. E nunca imaginou que ele aceitaria.

O percurso de carruagem até a Praça Bloom não foi demorado, e chegaram antes que Alex estivesse preparada.

Quando Chase a ajudou a descer da carruagem, ela manteve a mão dele apertada.

– Lady Penélope Campion e Nicola Teague são duas das minhas melhores amigas neste mundo.

– Eu compreendo.

Ela pensou que ele não compreendia. Não de verdade.

– Penny e Nic... bem, elas não são damas do tipo habitual. Não fazem parte da turminha de escola preparatória. Se você fizer o menor gracejo, ou se for minimamente rude, vou arrancar seu brinco de ouro da orelha com lóbulo e tudo.

Chase praguejou e remexeu na orelha até ele mesmo tirar o brinco.

Ela não devia tê-lo mencionado.

– Mais uma coisa – ela murmurou para Chase quando Rosamund pegou a aldrava para bater na porta. – Se Lady Penélope Campion lhe oferecer um sanduíche, você irá comê-lo. E irá gostar dele.

– Por que isso parece uma ameaça? – ele perguntou.

Ela não respondeu.

A porta foi aberta e Penny cumprimentou cada uma das garotas com beijos estalados nas bochechas.

– Entrem, queridas.

Então ela notou Chase e Alex fez uma prece. *Por favor, Penny. Uma vez na vida, fique tranquila.*

Penny jogou os braços ao redor de Chase, pegando-o num abraço e balançando-o para um lado e para o outro.

– Estou tão aliviada de vê-lo. Estava preocupadíssima desde que soube que estava doente. Alex ficou muito nervosa.

*Certo. Brilhante.*

– Entrem, entrem – ela disse. – Nicola já chegou. Ela fez bolinhos.

Alex segurou as garotas.

– Espere. Você sabe que elas precisam praticar. Vamos lá, garotas.

Elas fizeram uma mesura, não muito delicada, mas estavam melhorando.

– Boa tarde, Lady Penélope – elas disseram em coro.

– Rosamund, pode apresentar nosso convidado para Lady Penny?

– Sr. Reynaud, posso lhe apresentar...

– Não, não. Primeiro para ela – Alex disse. – Você pergunta a Lady Penélope se pode lhe apresentar o Sr. Reynaud, porque ela é superior a ele na sociedade. – *E também superior de muitas outras formas.*

– Alex, você sabe que detesto esse tipo de coisa – Penny disse.

– Elas precisam aprender. O tutor delas deseja que sejam jovens ladies muito bem educadas. – Ela se virou para Chase. – Não é verdade, Sr. Reynaud?

Rosamund recomeçou, com a promessa de bolinhos compensando sua impaciência com o exercício.

– Lady Penny, posso lhe apresentar nosso tutor, o Sr. Reynaud. Sr. Reynaud, esta é Lady Penélope Campion.

Chase não apenas fez uma reverência, mas pegou a mão dela e a beijou com seu charme diabólico.

– Encantado, Lady Penélope.

–Oh – Penny suspirou. – Você é maravilhoso. Eu sabia que seria.

As lições de etiqueta acabaram na porta. A casa de Penny não se prestava a formalidades, de qualquer modo. O estofamento estava rasgado e os padrões dos tapetes eram interrompidos por tufos de pelo solto. E se um gato caolho não estivesse miando e subindo pelas cortinas, um cachorro de duas pernas ficava correndo pela sala no seu carrinho especial.

Alex adorava de paixão aquele lugar.

Chase foi apresentado a Nicola, cuja recepção foi tão gelada quanto a de Penny foi calorosa. Nenhum beijo na mão. Nic virou o olhar para Alex no momento em que ele se virou para o outro lado e articulou com a boca um simples *por quê?*

Alex apenas deu de ombros.

Todos se acomodaram na sala de visitas. As garotas correram no mesmo instante para o jardim.

– Aonde elas vão? – Chase perguntou.

– Ah, elas foram servir o chá para Hubert – Penny explicou.

– Hubert? – ele repetiu.

– A lontra.

– Sim, é claro. Uma linda criatura, a lontra.

– É mesmo, não? Elas são tão afetuosas. Hubert adora Rosamund e Daisy. Todas nós adoramos. Você deve ter tanto orgulho das suas garotas. – Ela levantou um prato e o ofereceu para ele. – Sanduíche?

Arrá. O momento da verdade.

– Esta é uma nova receita minha. – Penny apontou para metade do prato. – Eu a chamo de "atumoide".

– Eu... não conheço.

– Bem, o atum é um peixe do Mediterrâneo, e eu recebi uma carta da minha prima, que mora em Cádiz, em que ela diz que faz um sanduíche excelente de atum com um pouco de creme azedo. Mas eu não consumo animais, então fiz minha própria versão. Em vez de atum, é "atumoide". O segredo é a salmoura. – Ela apontou para a outra metade do prato. – E esta é minha especialidade de sempre, "vegesunto". É o favorito de todos.

– "Vegesunto"?

– É como presunto, só que feito de vegetais cozidos juntos num bolo, que depois é fatiado fino. Já me disseram que o gosto é melhor do que do verdadeiro.

Alex cruzou o olhar com o dele. *Não a magoe. Não. Ou nunca irei perdoar você.*

– Lady Penny, eles parecem deliciosos – Chase disse, gentil, e por um momento até Alex acreditou nele. – Obrigado, vou pegar dois de cada.

No fim, ele comeu *três* de cada e pediu as receitas para Penny. Depois, Chase elogiou os bolinhos de Nicola e a escutou descrever seu último interesse: os desafios de engenharia para se cavar um túnel por baixo do Tâmisa.

Até mesmo o porco-espinho se abriu na mão dele, oferecendo-lhe a barriga macia para um carinho.

Ele não cometeu nem um único ato de comportamento imperdoável. Com a exceção, talvez, de ser imperdoavelmente maravilhoso.

Quando elas se abraçaram na hora da despedida, Penny sussurrou uma pergunta provocadora no ouvido de Alex.

– Então? Qual a sensação de estar se apaixonando?

*Desespero*, foi a resposta em que Alex pensou.

E a sensação era mesmo de desespero.

# Capítulo vinte e sete

No escritório, na manhã seguinte, Chase levou a mão ao abdome e grunhiu. Barrow olhou de lado para ele.
– É por causa das contas de banco?
– Não, é por causa do "vegesunto". Ou do "atumoide".
– Nem vou perguntar.
– Ótimo. Não quero falar disso.
Barrow esticou os braços para cima e bocejou.
– Sabe, reparei que a boneca da Daisy não fica doente há semanas.
– Acho que eu ficar doente, de cama, foi divertimento o suficiente.
– Hum. – Barrow olhou pensativo pela janela. – E por falar em cama... pelo menos que eu tenha percebido, você não se deita com uma mulher há semanas.
– Ah, sim. Finalmente consegui manter um período de celibato, não foi? E tudo que precisei fazer foi quase morrer. – Chase estreitou os olhos para ele. – O que quer? Não me diga que também vai me atormentar para ficar com as garotas.
– Eu quero mesmo é sugerir que se case com a Srta. Mountbatten. E então que fique com as garotas.
O *quê*?
– Isso é impossível.
– Você não a ama? Eu acho que você a ama.
Chase evitou responder a pergunta, e o fez com facilidade. Ele tinha praticado muito evitar pensar nessa questão.

— Não importa o que eu sinta por ela — ele disse. — Não vou me casar, nunca. Você sabe os meus motivos.

— Sei, mas seus motivos não são bons.

— Sou o responsável pela morte do meu primo. Recuso-me a substituir o legado de Anthony com minha infeliz linhagem. O título deveria ter sido dele. — Chase hesitou, então decidiu ir até o fim. — E se não pode ser dele, poderia muito bem ser seu. Você é o mais velho de nós. Ambos temos sangue Reynaud.

Barrow recostou-se na cadeira, cruzando as pernas.

— Então nós vamos falar disso agora?

— Podemos falar. — Chase gesticulou para toda a papelada ao redor deles e a imensa riqueza e quantidade de terras que representava. — Você seria um duque muito melhor do que eu. Tem certeza de que não posso lhe dar isso tudo? Pelo menos metade?

— Receio que não. Está tudo vinculado ao título.

— Bem, pelo menos comece a dar uns desfalques ou algo assim.

Barrow riu.

— Vou pensar no assunto.

— Estou falando sério.

— Chase, você vai ser um nobre melhor que a metade dos seus colegas da Inglaterra. Pelo menos você cuida dos seus dependentes. Sabe, não fugiu à minha atenção que, desde que assumimos tudo isso, você me pediu para estabelecer nada menos do que seis fundos de investimento para "criados dedicados". Eu conheço seus criados. Não são dedicados.

Chase suspirou. Era difícil negar esse argumento.

— Então imagino que não seja o único bastardo que seu pai gerou. — Após um momento, Barrow perguntou em voz baixa: — E quanto às garotas?

— Não sei. — Chase cobriu os olhos. — É possível que sejam dele, mas não dá para ter certeza. De qualquer modo, isso não faz diferença. Pretendo cuidar delas: escolas, dotes, fundos de investimento.

— Então você pode cuidar de todos os bastardos do seu pai, mas não da sua própria família?

— Droga, Barrow. Não estou "cuidando" de todos os bastardos dele. É só dinheiro.

O rosto de Barrow endureceu.

— Oh, é mesmo?

— Não é o que eu quis dizer. — Chase lamentou a própria insensibilidade. — Mas isso ilustra com perfeição o caso. Eu sou uma porcaria para cuidar dos outros. Amizade, talvez eu consiga dar conta. Mas ser um tutor? Ter uma família? Impossível. Depois que Anthony morreu, eu levei o corpo dele para casa, em Belvoir. Mandei uma carta expressa antes com a notícia, mas por algum motivo eu cheguei antes. Meu tio só soube da morte do filho ao ver seu corpo. Você sabe o que é ver o coração de uma pessoa se partir bem na sua frente?

Barrow negou com a cabeça.

— Bem, eu sei. E nunca vou querer ver de novo.

Eles ficaram em silêncio por um minuto.

— Chase, quando se ama alguém, sempre existe a chance de se magoar essa pessoa. Mas se você as afasta, a mágoa não é uma possibilidade. É uma certeza. Eu vi essa mulher passar dia e noite ao seu lado enquanto você beirava a morte. — Ele arqueou uma sobrancelha. — Você se mijou, sabe. Duas vezes.

— Sei, eu ouvi falar — ele disse, irritado. — Obrigado por me lembrar. De novo.

— Alexandra ama você. Se não consegue corresponder a esse amor, então é melhor deixar isso muito claro. Quanto antes, melhor.

Chase anuiu. Como sempre, seu irmão irritantemente convencido estava certo.

— Eu prometi às meninas um passeio ao Museu Britânico, amanhã. Vou falar com Alexandra na primeira oportunidade.

Após meros dois minutos no Salão Egípcio, Alexandra soube que aquele passeio tinha sido sua mais brilhante ideia em todo o verão.

— Olhe só para elas. — Ela cutucou o braço de Chase. — Você já viu as garotas tão alegres?

— É claro que estão alegres — ele respondeu, parecendo muito menos entusiasmado a respeito. — Daisy está rodeada por morte, com múmias empilhadas nos expositores, e nem mesmo Rosamund sonhava com tanto ouro saqueado.

— Pense nos benefícios educacionais.

Daisy ajeitou os óculos no rosto e se curvou sobre um expositor de vidro com uma caixão de pedra intricadamente entalhado. Ela leu a palavra sílaba por sílaba.

— Sar-có-fa-go.

— Venha ver isso. — Rosamund acenou para a irmã se aproximar. — Antes de enrolarem a múmia, eles tiravam os órgãos e os guardavam em jarros dourados. – Ela apontou. – Este aqui é do cérebro. Aqui diz que o cérebro era tirado pelo nariz da múmia.

– Oooohh.

Alex se virou para Chase.

– Você não pode negar que elas estão aprendendo.

Ele só meneou a cabeça como resposta.

Em segredo, Alex concordava em parte com ele. Ela também esperava que as garotas desenvolvessem outros interesses com o tempo. Ou, se não outros interesses, pelo menos utilidades menos mórbidas e menos criminosas para os que já tinham.

– Podemos ir ver as curiosidades dos Mares do Sul? – Rosamund pediu. –Quero ver os mapas e as coisas do Capitão James Cook.

– Vocês podem ir na frente – Alex disse para ela – se ficar de olho na Daisy. Vamos encontrar vocês num instante. E nada de correria.

Depois que as garotas saíram do Salão Egípcio, Alex foi em direção a um dos cantos mais silenciosos entre as galerias.

– Nós precisamos conversar – ela disse.

– Eu estava pensando a mesma coisa.

– O verão está chegando ao fim.

Ele anuiu

– Assim como nosso contrato – ele a lembrou.

– Sim. – Ela baixou a voz. – Prometa uma coisa para mim, por favor. Quando elas estiverem na escola, não as obrigue a ficar lá durante os feriados e as férias. Se não quiser que fiquem na sua casa, mande-as para mim. Eu permaneci na escola em todos os recessos durante anos e isso foi um sofrimento.

– Com certeza você não ficou na escola *todos* os recessos.

– Para onde eu iria? Não tinha família. Houve um ano em que uma colega me convidou para passar o verão com a família dela na casa de campo deles. Mas no fim, acabou não acontecendo.

Ela não contou o resto da história para ele. Essa colega – Violet Liddell – tinha passado semanas descrevendo as coisas maravilhosas que elas fariam no verão. Piqueniques, comprar fitas na vila e passar a noite acordadas, rindo. Alexandra sonhou com isso todas as noites, imaginando as aventuras que ela e Violet viveriam juntas. Mas o que ela mais ansiava não era nada aventuroso. Eram os jantares em família.

Quando o semestre terminou e os pais de Violet apareceram para buscá-la, Alex estava do lado de fora, esperando com seu baú, vestindo sua melhor roupa e empolgadíssima com a viagem. Ela esperou ser apresentada ao Sr. e à Sra. Liddell, mas a apresentação não aconteceu. Violet apenas se virou para ela com um sorriso cruel e disse: "Espero que você tenha um belo verão, Alexandra".

Então ela entrou na carruagem da família e foi embora.

Alex nunca se esqueceria da humilhação que foi arrastar seu baú de volta para o dormitório no sótão, um degrau de cada vez, enquanto as outras garotas riam. Elas sabiam o que ia acontecer. Todas elas sabiam.

– Apenas me prometa – ela disse. – Páscoa, Natal, férias de verão. Não deixe as meninas na escola. Elas precisam sentir que têm um lar.

– Droga – Chase murmurou, virando-se para a parede.

– O que foi?

– Vi um sujeito que conheço. E de quem não gosto muito.

– Onde? – Alex virou a cabeça.

– Não olhe – ele chiou. – Espero que ele não me veja.

Ela voltou o olhar para o que estava à sua frente.

– E eu espero que ninguém veja que nós estamos olhando para uma parede vazia.

– Tudo bem, então olhe. Mas seja discreta. Na outra ponta da galeria. O sujeito baixinho compensando a estatura com uma cartola absurdamente alta.

Alex se virou, fazendo o possível para parecer não estar olhando nada específico. Embora ela não soubesse dizer se girar a cabeça era melhor do que encarar uma parede vazia.

Ao completar o círculo, ela avistou o homem que Chase tinha descrito. Ela sentiu o estômago revirar.

– Diga que ele não está olhando para cá – Chase murmurou.

– Ele está olhando para cá. – O que significava que Alex teve vontade de segurar as saias e correr na direção oposta.

– Reynaud? – A voz veio da outra ponta da galeria. – Chase Reynaud, é você?

Chase praguejou baixinho.

– Não há como escapar agora. – Ele se virou e levantou a mão num cumprimento desanimado. – Esse é Sir W...

– Sir Winston Harvey.

– Você o conhece?

– Eu ajustei os relógios da casa dele durante três anos.

– Então sabe que ele é insuportável.

– Ah, sei. – Ela sentiu a pele arrepiar.

À distância, Sir Winston começou a se despedir de seu interlocutor – para, supostamente, atravessar a galeria e chegar até eles.

— Eu vou procurar as garotas — ela disse. — Elas pararam nos mármores gregos.

— Não, fique. — Ele a puxou para seu lado, passando a mão dela por seu braço. — Se estiver aqui, ele não vai me deleitar com histórias de suas aventuras sórdidas em bordéis. Ele parece acreditar que isso me agrada.

— Eu prefiro ir ficar com as meninas.

— O que ele fez? — Chase deve ter notado a tensão na voz dela. — Diga-me.

— Ele ficava babando em mim — ela sussurrou. — Um beliscão ou dois. Você sabe, o normal.

— O *normal*?

— O normal para ele. Chase, isso faz anos. Ele nem vai me reconhecer. Só me deixe ir.

Mas era tarde demais. O homem estava diante deles.

Não havia escapatória.

## Capítulo vinte e oito

Chase nunca foi de cometer atos de violência. Ele não se opunha a um pouco de vingança, mas as oportunidades pareciam sempre lhe escapar. Sempre chegava atrasado, depois que o estrago já estava feito.

Não foi o caso, nesse dia.

– Reynaud, seu velho malandro. Não tenho visto você nos clubes ultimamente. – A atenção de Sir Winston se voltou para Alex e ele a mediu com um olhar libidinoso. – É bom saber que continua bem. Quem é esta?

– Sou apenas a aia – Alex rapidamente informou.

– Você não é apenas a aia – Chase a corrigiu. – Você não é "apenas" nada.

– Bem, é claro que ela não é "apenas" a aia. – Sir Winston deu uma piscada nada sutil para ele. – Elas nunca são, não é mesmo?

Chase pôs a mão no ombro de Sir Winston, como se gostasse do comentário. Então, virando de costas para o salão, deu um soco na barriga daquele canalha babão.

O chapéu de Sir Winston foi parar no chão.

O homem, por sua vez, se dobrou e gemeu.

– Por que diabos fez isso, Reynaud?

– Você deve um pedido de desculpas à Srta. Mountbatten.

– Desculpas por quê?

– Por insultá-la hoje, para começar. E por tomar liberdades com ela no passado.

— No passado? Pelo amor de Deus, homem. Do que está falando? Nunca tinha visto essa garota na minha vida.

Alex baixou a cabeça, evitando o olhar de outros visitantes do museu.

— Eu lhe disse que ele não lembraria — ela murmurou.

— Mas, agora que você falou — Sir Winston disse com jovialidade —, não seria um problema conhecê-la. Quando estiver farto dela, mande-a para mim.

O homem se abaixou para pegar a cartola.

Chase pisou nela. Ele fitou Sir Winston nos olhos enquanto baixava o pé, lenta e deliberadamente, esmagando a torre de pelo de castor e transformando-a numa panqueca queimada.

*Pronto, seu canalha. Tente compensar sua estatura com isso.*

— Peça desculpas à Srta. Mountbatten. — Ele rugiu a palavra por entre os dentes crispados. — Ou, pelos deuses do Egito, vou arrancar seu cérebro pelo nariz e enfiar você num desses sarcófagos pelos próximos três mil anos.

Sir Winston sabia quando estava em posição inferior. Ele se endireitou e fez uma reverência.

— Minhas desculpas, Srta. Montbarren.

— *Mountbatten.*

— Srta. Mountbatten.

Eles ficaram observando aquele refugo humano sair da galeria, depois pegaram as garotas e foram embora do museu. Rosamund e Daisy protestaram pela partida apressada. Enquanto esperavam a carruagem, Chase as subornou com laranjas compradas de um garoto que as vendia na rua.

Em casa, as garotas correram para o quarto com planos de mumificar Millicent. Chase foi para o escritório e Alexandra o seguiu, fechando a porta atrás de si e virando a chave.

— A ousadia daquele canalha! — ele exclamou, tirando as luvas e batendo-as na borda da escrivaninha. — Sinto muito se ele a incomodou.

— Pode ser que Sir Winston Harvey tenha me incomodado, mas o que você fez foi muito mais humilhante. Você me transformou num espetáculo.

— Espere um instante. Eu não sou o vilão aqui. Aquele vagabundo mereceu tudo o que fiz e mais. Só lamento que ele tivesse apenas um chapéu para eu esmagar.

— Tudo é a respeito do seu orgulho, não é? Você parou para pensar nos meus sentimentos?

— Seus sentimentos foram minha principal preocupação. Como ele ousou falar com você daquele modo. Como se você fosse minha...

— Amante? — ela sugeriu.

Ele imaginou que aquele fosse o modo mais delicado de dizer.

– É natural que ele tenha suposto que eu era sua amante. – Ela se aproximou da escrivaninha pelo outro lado e apoiou as mãos no tampo. – Você sabe por quê? Porque eu *sou* sua amante. E agora toda Mayfair vai ficar sabendo antes do jantar.

– Primeiro, você não é minha amante – ele disse. – Segundo, não se preocupe com fofocas. Duvido muito que Sir Winston Harvey vai ter vontade de espalhar essa história.

– Não, ele não vai dizer nada sobre você esmagando o chapéu. Ele vai guardar todo o veneno para me descrever. Deus, você é tão ingênuo.

– *Eu*. Você está *me* chamando de ingênuo?

– Sim, você. Chase, você é um homem rico, bem estabelecido. Herdeiro de um duque. A sociedade irá perdoar qualquer coisa que você fizer. Mulheres na minha posição não têm a mesma sorte. Nós trabalhamos para viver servindo as classes mais altas. Ao menor indício de escândalo, nós estamos *arruinadas*. Sem trabalho para sempre. É assim que funciona a sociedade inglesa.

– Então a sociedade inglesa precisa melhorar.

– Bem, a menos que você pretenda mudá-la até o fim do verão, eu agradeceria se você não me jogasse debaixo das rodas de uma carruagem. – Ela cruzou os braços enquanto andava de um lado para outro. – E se correr pela cidade o boato de que sua aia é, de fato, sua amante...

– Você não é minha amante.

– ...e por isso Rosamund e Daisy não forem aceitas na escola? Estou contando com aquelas duzentas libras extras que você me prometeu. Eu preciso ter uma vida além deste verão.

Como se ele fosse deixar que ela partisse sem um tostão, para morrer de fome.

– Não precisa se preocupar com salário. Você sabe que vou cuidar de você.

– Mesmo? Como? Vai me colocar numa casinha de campo em algum lugar, com uma renda e uma acompanhante? Como uma *amante*?

– Pela última vez. – Ele deu a volta na mesa e a pegou pelos braços. – Você não é minha amante.

– Então o que eu sou? – A voz dela tremeu. – O que eu sou para você?

– Você é...

*Tudo.*

Um sorriso amargo curvou os lábios dela.

– Não se canse procurando a resposta.

— Maldição, Alex. Não sei que palavra usar. — Ele a puxou para perto, apertando o corpo dela no seu. — Só sei que posso ir para o inferno, mas não deixo você ir embora.

⭐

Quando a boca de Chase esmagou a dela, Alex fez o mesmo. Reação igual em sentido oposto.

O resultado foi magnífico.

No tempo em que estavam juntos, eles tinham se beijado muito. Beijos apaixonados, beijos carinhosos, beijos secretos... mas se ela soubesse como seria excitante um beijo com raiva, Alex teria começado brigas com ele todas as noites.

Eles se agarraram e se apertaram, cada um punindo o outro por pecados não declarados. Ela sentia falta do calor dele, do cheiro, da fome que ele tinha dela. Do modo como a ereção dele preenchia sua mão, e do sal da pele dele em sua língua.

Fazia tanto tempo. Tempo demais. Culpa dele.

Ele a agarrou pelo traseiro e a levantou, colocando-a sobre a escrivaninha. Papéis e penas caíram no chão.

A certa altura, pararam de lutar um com o outro e começaram a lutar contra o espaço entre eles. Tornaram-se aliados na guerra contra as roupas. Botões foram abatidos; laços, conquistados. Anáguas marcharam para o norte. A camisa dele foi a bandeira branca de rendição, esvoaçando até chegar ao chão.

Quando pele finalmente encontrou pele, o calor era tão escaldante que os dois arfaram em uníssono.

A boca e as mãos ávidas dele a empurraram mais para o centro da escrivaninha. Ele a queria debaixo de si. Não dessa vez. Ela inverteu as posições, puxando, empurrando e conduzindo, até ele estar deitado e ela montada em sua cintura.

Pronto. Muito melhor.

Ela fitou o tronco forte, definido, e passou as mãos por músculos e ossos, delineando-os com as unhas, arranhando de leve a pele dele. Chase arqueou os quadris e sua ereção pressionou a barriga dela. Agressiva. Impaciente.

Ainda não. Ainda não.

Alex se curvou para beijá-lo, passando a língua e os dentes por seu pescoço, pelos mamilos, deleitando-se com cada respiração entrecortada e gemido abafado que conseguia extrair do corpo de Chase. As mãos dele foram até o cabelo dela, puxando os grampos do coque e agarrando punhados das madeixas soltas. O puxão no couro cabeludo fez um arrepio descer até seus pés.

Chase tinha recuperado parte do controle e o usou, arrastando-a para um combate de línguas e dentes. E então puxou-a de encontro ao seu corpo, cada vez mais para baixo, até não haver dúvida quanto às suas intenções.

Tudo bem. Ela deixaria que ele tivesse o que queria. Mas iria demorar.

Provocando-o, ela abriu os botões da calça dele.

Um...

Por um...

E mais um.

Então ela enfiou os dedos lá dentro, curvando-os ao redor do membro.

Um...

Por um...

E mais um.

Até que o tirou para fora... grosso, vermelho e latejante. E deu beijos leves na parte de baixo da ereção.

Um...

Por um...

E mais um.

Ele rugiu como uma fera. Uma fera que ela devia domar. Ele apertou a mão no cabelo dela.

– Alex, assim você me mata.

Bem, eles não queriam isso.

Alex nunca se sentiu mais poderosa. Para todo o mundo ela era pequena, leve e insignificante. Até mesmo invisível. Mas ali, naquele instante, ela fazia aquele homem tremer com o mais leve toque. Implorando por sua boca.

Ela passou a língua da base à cabeça, e então tomou-o em sua boca.

Com um suspiro profundo, ardente, ele soltou o cabelo dela. Chase arqueou os quadris, indo mais fundo. *Aceite mais de mim*, o corpo dele pediu. *E mais ainda*.

Ela também queria mais dele.

Após algumas últimas lambidas, ela levantou a cabeça. Puxando as saias até a cintura, ela montou na ereção dele, prendendo a extensão rígida entre seu ventre e sua abertura. Ela colocou a palma das mãos no peito dele e se esticou, balançando o corpo contra o dele.

*Sim. Sim. Sim.*

As mãos dele pegaram-na pelos quadris e ele a fez acelerar o ritmo. A dureza dele friccionava bem onde ela mais precisava, injetando ondas de prazer em suas veias.

Ela o fitou no fundo dos olhos, cavalgando seu corpo com um desejo mais impetuoso. Mais rápido, agora. Os lábios dela se entreabriram, e a respiração fazia o peito dela subir e descer. Uma névoa de prazer a envolveu, ficando mais espessa a cada instante até que um raio de luz perfeito, cintilante, rompeu a neblina e a jogou no precipício.

Alex cavalgou o clímax até seu fim mais doce, então continuou o movimento dos quadris em busca do prazer dele.

As coxas de Chase ficaram rígidas. Ele estava perto.

– Chase – ela sussurrou. – Fique comigo.

Não houve resposta, falada ou qualquer outra. A cabeça dele pendeu para trás. Os tendões de seu pescoço estavam tensionados. Seus olhos, fechados bem apertados. Ele a agarrou pelos quadris e estabeleceu seu próprio ritmo, arrastando-a sobre sua ereção num ritmo ágil até estremecer com o ápice.

Tudo ficou em silêncio, a não ser pela respiração ofegante dele.

Ele a puxou para si, prendendo-a junto ao peito. A semente derramada colava os abdomes dos dois. Ela deitou o ouvido sobre o batimento cardíaco dele.

– Onde você está? – ela perguntou.

Ele pareceu ficar confuso.

– Aqui. Na escrivaninha. Debaixo de você.

– No fim, eu quero dizer. Sempre que estamos juntos, no fim você vai parar em algum outro lugar. Não sei aonde você vai, mas não está comigo.

Ele acariciou o cabelo dela.

– Não sei se entendo o que está dizendo.

– Eu também não.

Ela saiu do abraço e desceu da escrivaninha de modo desajeitado. Por que no prelúdio do ato de amor ela era toda feita de seios, quadris e mãos confiantes, e depois que o prazer acabava tudo era cotovelos e joelhos?

Alex puxou as mangas do vestido sobre os ombros, ansiosa para escapar. Se ele podia ir a outro lugar, ela também podia.

– Essa tem que ser a última vez. Não posso ser sua amante, ou seja lá o que você quer chamar isso.

– E eu não posso lhe oferecer mais.

– Nunca sonhei que ofereceria.

Que mentira. Ela sonhava com isso antes mesmo de saber o nome dele, e tinha sonhado há apenas cinco minutos. Tolice, todas as vezes.

Porque ele ia se tornar um duque. E garotas como Alex – parte americana, parte espanhola, parte filipina, totalmente órfã, batizada católica e trabalhadora – não se tornavam duquesas. Garotas como Alex nem mesmo eram convidadas para passar as férias na casa das colegas. Elas trabalhavam duro e recebiam pouco. Eram beliscadas no corredor ou totalmente ignoradas.

E eram esquecidas assim que saíam.

{ *Capítulo vinte e nove* }

Chase estava sentado diante de sua escrivaninha com um copo de conhaque, organizando as cartas que tinha recebido dos diretores das melhores escolas internas para garotas da Inglaterra.

Todas aceitando suas pupilas, é claro. A promessa de uma doação generosa para a escola funcionava maravilhosamente.

Ele estava perdido quanto ao melhor critério para escolher. Filosofia acadêmica? Popularidade entre as famílias mais ricas? Proximidade de Londres ou Belvoir?

Depois que já tinha organizado e reorganizado as cartas de quatro maneiras diferentes, seu dilema ficou claro. A questão não era escolher para onde enviar as meninas.

A questão era se ele conseguiria enviá-las para qualquer lugar.

Ele foi tirado de sua reflexão por passos apressados descendo a escadaria. Observando de sua escrivaninha, ele viu uma figura de branco passar correndo, o cabelo preto esvoaçante. A porta da frente foi aberta e depois fechada com estrépito. Ou Alexandra acabava de sair correndo da casa, ou um fantasma estava se divertindo.

Chase não acreditava em fantasmas.

Ele levantou e a seguiu, saindo pela porta para o ar fresco da noite.

— Alex? — Ele se virou para todas as direções. Nenhum sinal dela. Ele ergueu a voz. — Alexandra?

— Estou aqui.

A voz veio do gramado no centro da praça. Foi só depois que ele atravessou a rua e esquadrinhou o jardim que conseguiu localizá-la.

Ele a encontrou ao quase tropeçar nela.

– Alex, que diabos você está fazendo deitada na grama em sua camisola no meio da noite?

– O cometa. Pode ser um. – Ela chutou a bota dele. – Agora faça o favor de voltar para casa. Está bloqueando minha visão do céu.

Em vez de voltar, Chase deitou-se ao lado dela.

– Já disse, volte para a casa.

– Não vou deixar você aqui sozinha.

Ela estremeceu ao lado dele.

– Como quiser, então.

– Se isso é um cometa, você não precisa do telescópio?

– Não para essa parte. É um borrão definido. Não está relacionado entre os objetos de Messier e eu não o encontrei na minha lista de cometas identificados. Agora preciso observá-lo para ver se ele se move no ritmo das estrelas.

– Que parte do céu estamos observando?

– Acompanhe a linha do meu dedo. – Ela se aproximou dele e apontou o braço para o céu. – Está vendo o triângulo de três estrelas? É aquele borrão minúsculo acima do ponto inferior. Consegue ver?

– Acho que sim.

Na verdade, Chase não conseguiu ver nada além do pontilhado de estrelas, mas não quis decepcioná-la. Ele queria fazer parte daquilo.

– Quanto tempo vai demorar para você ter certeza? – ele perguntou.

– Uns quinze minutos, pelo menos. Talvez mais.

– Eu marco o tempo. – Ele abriu a tampa de vidro do relógio, tocando de leve os ponteiros com a ponta dos dedos para sentir qual a posição deles.

Os dois ficaram deitados lado a lado, em silêncio, pelo que pareceu quase uma hora.

– Quanto tempo passou? – ela perguntou.

Chase consultou o relógio, sentindo-o com os dedos.

– Não estou bem certo. Se tivesse que arriscar, eu diria... uns três minutos.

Ela gemeu.

– Isso é enervante.

– Você sabe o que dizem. Um cometa observado parece não se mover.

Outra eternidade se passou. Talvez já tivessem passado cinco minutos, agora. Ele não conseguiu aguentar a tensão silenciosa.

— Eu tenho um pesadelo — ele disse. — Vem e volta. É de manhã e eu estou no quarto das crianças. Todos nós estamos lá, olhando, como de costume, para a cama. Estou me preparando para dizer algo sobre a tragédia da enterobiose, quando percebo que a mão na minha não é de carne e osso. É de madeira. Então eu me viro e percebo que estou segurando a mão de Millicent, e que o corpo na cama é o da Daisy.

A mão de Alexandra procurou a dele, que apertou seus dedos.

— Ela está deitada ali. Pálida, imóvel. E há botões no lugar de seus olhos. Eu começo a gritar com ela, a sacudir seu corpinho. Mas não consigo tirar os botões dos olhos dela para acordá-la, e então... a cama começa a mudar. Ela fica cinza e torta. São as pedras que pavimentam um beco. Sangue começa a se acumular debaixo dela. Eu fico frenético, tento achar a fonte do sangramento para pressionar a ferida com as mãos, mas não a encontro. O sangue continua a se espalhar. E então...

— E então?

— Eu acordo. Empapado de suor.

— Oh, Chase. Parece assustador.

— É assustador. E mesmo depois que acordo, e sei que foi apenas um sonho, não para de ser assustador. O medo só cresce, e eu sei que é porque... — ele faz uma pausa para engolir em seco. — Eu sei que é porque eu amo as meninas.

Ela apertou forte a mão dele.

Chase praguejou.

— Eu amo tanto essas garotas, Alex.

— Eu sei que ama. Faz tempo que eu sei.

— Sim, sim. Você sabe de tudo. — Ele a cutucou. — O mínimo que podia fazer era esperar até eu terminar de abrir *todo* o meu coração sobre a grama. Então você poderia se vangloriar.

— Estou devidamente repreendida. Por favor, continue.

— Entre o medo e o carinho, a coisa só fica pior. Um sentimento alimenta o outro. A simples ideia de vê-las machucadas, sem que eu possa ajudá-las, me mata de medo.

— Tenho certeza de que é um sentimento natural.

— E não são só os acidentes e as doenças. É tudo. Rosamund tem 10 anos. E se ela me disser que gosta de um garoto? Pior, e se um garoto gostar dela? — Uma nova possibilidade lhe ocorreu, e foi de longe a mais horripilante. — Bom Deus, que diabo eu vou fazer quando ela tiver a primeira menstruação?

Alex riu.

– Não ria. Estou falando sério. Não acredito que eu possa ser um tutor competente. Como eu poderia ser? Se eu fosse outra pessoa, também não acreditaria em mim.

– Bem, *eu* acredito que você é um tutor excelente. Essa é a verdade. Porque eu também amo Rosamund e Daisy, e não aguentaria deixá-las no fim do verão se não confiasse completamente em você. Isso ajuda?

– Um pouco.

Ajudaria muito mais se ela não fosse embora no fim do verão. Ou se ela nunca fosse embora.

– Chase. – Ela apertou o braço dele, como se de repente lembrasse a razão pela qual eles estavam deitados na grama do meio da praça à meia-noite. – Você acha que já faz quinze minutos que estamos aqui?

Ele sentiu os ponteiros.

– Mais do que isso.

– Ah não. Perdi o borrão de vista.

– O céu não é tão grande. Ele não pode ter ido longe.

– Xiu. – Ela segurou a respiração, estudando a escuridão acima. – Oh, lá está ele. Indo em direção a Altair. – Ela se levantou, deixando-o atordoado e sozinho na grama.

– Espere – ele a chamou. Ela já estava a meio caminho de casa. – Isso é bom ou ruim? O que Altair significa?

– Em árabe, significa "águia voadora". Ela chegou à porta da casa e se virou para ele. – Em termos práticos, no momento? Significa que preciso ir imediatamente ao Real Observatório.

A partir dali, a corrida começou.

Chase se levantou e a seguiu até a casa.

Alex se virou para ele.

– Onde você acha que consigo uma carruagem de aluguel a essa hora da noite?

– Aluguel? Não seja ridícula. Vou pedir a carruagem. Vá vestir alguma coisa mais quente e eu a encontro na frente.

– Você vem comigo?

– Com toda certeza não vou deixar que vá sozinha até Greenwich no meio da noite.

– E as garotas?

– Vou avisar a Sra. Greeley que vamos sair. Ela vai cuidar das meninas. Vamos estar de volta antes que elas acordem, amanhã de manhã. – Ele a pegou pelos ombros. – Vá para o quarto. Pegue suas botas e sua capa. Deixe o resto comigo.

Ela concordou.

– Tudo bem.

– Vou descer e avisar o cocheiro que vamos até Greenwich.

– Espere – ela disse, determinada. A névoa em seu cérebro parecia ter se dissipado. – Diga-lhe que vamos à doca de Billingsgate.

– Billingsgate?

– Isso. – Ela inspirou fundo. – Nós precisamos pegar um barco.

– Está louca? Não vou colocá-la num barco. Não depois do que me contou sobre o naufrágio e perder seu pai, e ficar à deriva no oceano sozinha, sem comida nem água, durante dias.

– Eu sei o que lhe contei, Chase. Este não é o momento de relembrar os detalhes horríveis. As estradas são muito escuras à noite para viajarmos rapidamente de carruagem. De barco vai ser mais rápido. Se não chegarmos a Greenwich antes que o cometa desapareça no horizonte, vamos ter que esperar até amanhã para a verificação. Se esperarmos, amanhã pode estar chovendo ou nublado. Algum outro observador pode reivindicar o cometa primeiro. Não quero correr o risco.

– Muito bem. Se tem certeza.

Ela anuiu.

– Eu acho que consigo. – Ela fechou os olhos brevemente e crispou os punhos. – Não, eu *sei* que consigo. Desde que você esteja comigo.

*Oh, eu vou estar com você. Tente me escapar.*

– Você vai estar em segurança, Alex. Eu lhe daria minha palavra, mas como ela vale muito pouco, não parece fazer sentido oferecê-la. – Ele a encarou solenemente. – Eu daria minha vida por você.

⭐

*Eu consigo fazer isso*, Alex disse para si mesma. *Eu consigo, eu consigo, eu consigo.*

Tinha sido mais fácil acreditar nisso quando estava em casa. Parada na doca, a decisão estava se provando mais difícil de ser colocada em prática. Da última vez em que esteve nessa doca, ela caiu no Tâmisa e seu ganha-pão lhe escapou das mãos.

Mas se isso não tivesse acontecido, ela não estaria ali, naquela noite, com Chase. Este se aproximou dela após terminar o acerto com o barqueiro que tinha conseguido acordar.

– Vamos zarpar num instante. Ele só está aprontando o esquife.

– Você contratou um esquife? – Ela esperava um bote.

– Está ventando bem. Velas são mais rápidas que remos.

Sim, mas remos pareciam muito mais seguros.

Ela olhou para o rio. O Tâmisa fluía debaixo deles como um rio de tinta, escuro e silencioso. Ominoso.

– Você ainda pode mudar de ideia – ele disse.

Ela meneou a cabeça.

– Você mandou a carruagem na frente.

– Eu posso alugar uma.

– Não. Vamos de esquife.

Essa noite, essa viagem – era para isso que ela esteve trabalhando todo esse tempo. Alex não iria permitir que medos irracionais ficassem entre ela e seu objetivo.

Chase embarcou primeiro, depois estendeu a mão para ajudá-la a fazer o mesmo. Quanto mais perto da borda da doca ela se aproximava, mais furiosamente seu coração batia no peito. Sua língua parecia revestida de areia.

– Não olhe para a água, Alex. Olhe para mim.

Ela obedeceu. Com a escuridão, o preto das pupilas dele tinham engolido todo o verde deslumbrante. Não havia charme em seu olhar, apenas sinceridade.

– Pegue minha mão – ele disse. – Juro que não vou soltar.

Ela estendeu a mão para ele. A mão dele segurou a dela, e o encaixe pareceu natural, fácil. Afinal, fazia semanas que eles vinham se dando as mãos todas as manhãs.

Com a outra mão, Chase segurou o antebraço dela, ajudando-a a entrar no barco. O movimento de embarque dela foi desajeitado, e o esquife balançou para um lado e para outro. O pânico palpitou em seu peito, mas não teve chance de se estabelecer. Chase a pegou pela cintura e a sentou no banco. Passando o braço pelas costas dela, ele a puxou para perto.

O barqueiro empurrou o barco para longe do píer.

E eles se viram flutuando. Balançando nas ondas, sem amarras.

– Estou com você – Chase murmurou no ouvido dela.

– Eu sei. – Com a garganta seca, ela fez força para engolir. – Eu sei. – Alex retorceu as mãos em seu colo. – Eu não deveria ter muita esperança.

Há tantos observadores, não só na Inglaterra, mas também no continente. Quais as chances de eu ter sido a primeira a avistar esse cometa?

– Pequenas, eu imagino.

– Isso se for um cometa. Eu posso estar errada.

– Não seria a primeira vez.

– Exatamente. Então tudo isso terá sido por nada.

Ele anuiu.

– É provável que você tenha razão.

Alex olhou de lado para ele. Chase não deveria estar concordando com ela.

– Quero dizer, que tipo de plano de carreira é caçar cometas? – ele debochou. – Não um que seja muito realista.

Ela ficou rígida.

– É realista sim, ainda que seja incomum.

– Oh, é mesmo? Diga uma mulher que consiga viver da astronomia.

– A Srta. Caroline Herschel.

– Tudo bem. Diga *duas* mulheres que ganham a vida como astrônomas.

– Srta. Caroline Herschel e Sra. Margaret Bryan. Se você quiser três, tem a Sra. Mary Somerville, com uma abordagem matemática – ela respondeu, inflamada. – Isso é só na Grã-Bretanha. Gottfried Kirch, da Alemanha, teve três irmãs e uma esposa, todas astrônomas. Na França, temos Marie-Jeanne de Lalande. E Louise du Pierre, que ensinava Astronomia na Sorbonne. Quer que eu continue?

– Por favor – ele disse. – Mais vinte e quem sabe eu me convença.

Alex segurou sua resposta. O brilho divertido nos olhos dele o entregou.

– Está fazendo de propósito. Começou uma discussão para me distrair.

Ele não negou.

– Parece estar funcionando.

Uma onda levantou o barco, que em seguida caiu de repente.

O estômago de Alex se apertou, depois se revirou. Ela girou para esconder o rosto no peito dele, mas sua testa bateu em algo sólido.

– Desculpe. Esqueci que estava aí. – Chase enfiou a mão no casaco e retirou uma garrafa, bem maior da que costumava carregar. Ele a ofereceu para Alex. – Tome, é para você.

– É muita gentileza sua, mas acho que meu estômago não vai segurar conhaque neste momento.

– Não, não. É água. Pensei que poderia precisar. – Ele colocou a garrafa nas mãos dela. Mantendo um braço ao redor de sua cintura, ele usou a mão livre para desarrolhar a tampa prateada e guardá-la em seu bolso. – Pronto. Tome um bom gole.

Ela ficou olhando para o metal reluzente, emocionada demais para falar.

Durante treze anos ela evitou barcos. Percorreu o caminho mais longo tantas vezes, gastando horas incontáveis e xelins preciosos para controlar seus temores. Ela se confinou à Inglaterra, morando num país estranho, em vez de voltar para a pátria de seu pai ou a de sua mãe. Um terror insuperável a tinha prisioneira.

Agora, finalmente, ela encarou seu medo e embarcou nessa viagem aterrorizadora... para encontrar a segurança mais perfeita, mais pura, que ela já tinha conhecido.

Oh, como ela amava esse homem.

Alex não estava mais com sede, mas segurou a garrafa pelo restante da curta viagem, mantendo as duas mãos em volta da prata fria. Ela delineou o monograma com a ponta do dedo várias vezes, acompanhando as reentrâncias e voltas do R gravado.

Quando chegaram a Greenwich, ela devolveu a garrafa para Chase.

– Muito obrigada.

Ele tapou a garrafa e a guardou.

– Você é ainda mais corajosa do que linda. – Ele a beijou na testa. – E embora eu não tenha o direito, estou orgulhoso demais de você.

Então ele a pegou pela cintura, levantando-a e colocando-a em terra firme.

Alex ficou atordoada de tantas, tantas maneiras.

– Agora – ele disse, dando as costas para o rio. – Onde é?

– Onde é o quê?

– O observatório, é claro.

Oh. Oh, sim. Esse era o motivo pelo qual tinham vindo, não era?

– Lá em cima – ela respondeu. – É lá em cima.

– Quando você falou "lá em cima" – Chase disse, ofegante –, não estava brincando.

Bom Deus. Da margem do rio saía uma escada que levava a um gramado. O gramado virou uma encosta suave. Que, por sua vez, tornou-se uma encosta íngreme desgraçada. E depois vieram mais escadas.

– É um observatório astronômico. – Ela mantinha as saias um pouco levantadas enquanto marchava colina acima, para não tropeçar na barra. – É natural que fique no ponto mais alto.

Quando finalmente chegaram às portas do observatório, contudo, Alexandra hesitou.

– O que foi? – ele perguntou.

– Estou com receio de bater. E se estiverem dormindo?

– Eu imagino que um observatório astronômico é o lugar em que se pode chegar à meia-noite sem se preocupar em acordar seus ocupantes.

– Mas e se estiverem ocupados?

Chase poderia ter batido na porta ele mesmo, mas se conteve.

– Seu lugar é aqui, Alex. Descobertas como a sua são exatamente o motivo de existir um Real Observatório, e a paixão por essas descobertas é o motivo pelo qual o astrônomo real faz seu trabalho. – Ele prendeu uma mecha de cabelo atrás da orelha dela. – Não existe outro lugar em que você deveria estar mais do que aqui, neste momento.

Ela assentiu e bateu na porta.

{ *Capítulo trinta* }

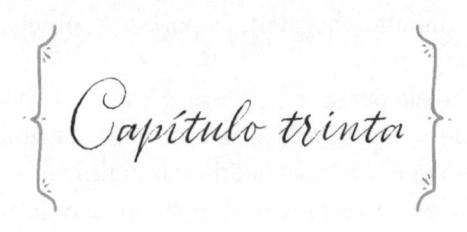

Chase não entendeu muito do que se passou entre Alexandra e o assistente do astrônomo. Mas isso não importava. O que o cativava era a empolgação no rosto dela e a paixão em sua voz enquanto falava com alguém que entendia sua descoberta. Ele sentiu um pouco de inveja porque não podia ser, porque nunca seria essa pessoa – mas ele a tinha ajudado a chegar até ali essa noite, e isso também era importante.

Embora estivesse morrendo de curiosidade, tentou não interrompê-la com perguntas. Só quando foram embora, algumas horas mais tarde, ele não conseguiu mais resistir.

– Então...? O que aconteceu?
– Ele tem quase certeza de que é um cometa.
– Isso é bom.
– E não é um que ele já tenha observado antes.
– Isso é melhor ainda.
– Mas vai ser necessário algum tempo para verificar se alguém já observou e batizou esse cometa. Para se corresponder com outros observatórios, procurar notícias nos jornais.
– Quanto tempo vai demorar?
– Semanas, no mínimo. Talvez meses.
– Meses? – Ele fez uma careta.
– Isso é bom – ela disse. – Vai me dar tempo. Você me ajuda a encontrar um patrono que pagará para batizá-lo?

Ele parou, de repente.

– Não, que diabo.

– Chase, eu não tenho seus contatos. Vou precisar de ajuda para conseguir encontrar um patrono.

– Você não deveria vender.

– Eu preciso vender.

– Ótimo. Então vou comprar para devolver para você.

Ela se virou para ele.

– Eu nunca quis isso. Não preciso.

– Bem, eu preciso que o cometa seja seu. Porque *você* o encontrou. Porque seu nome *deveria* estar nele. Porque é incrivelmente cansativo ser a única pessoa viva que sabe como você é admirável. – Ele segurou o rosto dela com as mãos, e não de modo carinhoso. – Não vou ajudá-la a esconder isso de si mesma nem do mundo. Não mais.

⭐

Alex não podia acreditar no que estava ouvindo.

– Você – ela disse, afastando-se das mãos dele – é o hipócrita mais sem-vergonha que existe. Vai *me* acusar de me esconder de mim mesma? Eu agradeceria se fizesse esse discurso no espelho, Chase Reynaud, porque tem se escondido há tanto tempo que se esqueceu da sensação de respirar ar puro. Você também merece certas coisas. Como intimidade, família e o perdão que vem negando a si mesmo feito um bobo. E é *exasperante* de verdade ser a única que percebe isso. Além do mais, tenho entendido você há muito mais tempo.

– Não tem, não – ele disse. – Eu entendi você primeiro.

– Ah, não. – Ela meneou a cabeça. – Eu entendi seu verdadeiro "eu" na primeira vez em que segurei sua mão e o observei fazer o discurso fúnebre de uma boneca tísica. Faz dez semanas.

– Dez semanas não é nada. Faz dez meses para mim.

– O quê? – Alex ficou aturdida.

– Nós trombamos na livraria Hatchard's em novembro do ano passado – ele disse. – Mas acho que você não lembra.

– É claro que eu lembro. – Alex não apenas lembrava, mas tinha pensado nisso em todos os dias desde então. – Foi você que esqueceu.

Ele negou com a cabeça.

– A lembrança é clara como o dia.

– Então por que fingiu não me conhecer?

Ele deu de ombros.

– Você bancou a tonta quando nos conhecemos. Não me pareceu gentil tocar no assunto.

Oh, esse homem.

– Mas eu lembro muito bem do nosso encontro – ele continuou. – Como poderia esquecer? Não é todo dia que um homem tromba com uma mulher que prefere borrões no céu a contos de fada. – Sorrindo, ele pegou um fio de cabelo dela e o enrolou no dedo. – Srta. Alexandra Mountbatten, com cabelo preto como a meia-noite e uma aparência encantadora, que reage ao flerte com um rubor imensamente gratificante.

Ele fez um carinho no rosto dela e Alex sentiu a cor subindo ao seu rosto outra vez.

– Srta. Alexandra Mountbatten, que possui os olhos mais cativantes e apavorante que já fitei. Ou, na verdade, que já me fitaram. Olhos que não são apenas lindos, mas corajosos, inteligentes, destemidos. Que não receiam encarar a escuridão, confiantes que alguma coisa, em algum lugar, pode reluzir. – A voz dele ficou mais grave com o peso da emoção. – Eu não poderia esquecer você, Alex. E também não vou permitir que ninguém a esqueça. Nem o Real Observatório, nem o mundo. Aliás, nem o universo.

Minha nossa, ele era tão bom nisso. Fez com que os dedos dos pés dela se derretessem no orvalho da noite. Seus joelhos também estavam quase se dissolvendo. Logo ela estaria reduzida a dez mil gotas de Alexandra espalhadas na grama, tentando desesperadamente se agarrar a dez mil folhas de grama.

Ela perdeu por completo a iniciativa na discussão. Não era justo. Como ela podia competir com todos os anos de experiência que ele tinha em transformar mulheres em gotas trêmulas de condensação?

Sendo ela mesma, pensou Alex. Direta, sincera, prática.

– Eu te amo – ela disse. – Aceite isso.

# Capítulo trinta e um

Não.

Não, Chase não iria aceitar isso.

Ele não *podia* aceitar. Não as palavras impossíveis nem a expectativa nos olhos dela. Não a lâmina afiada de alegria que ela tinha enfiado em seu coração nem o modo como a lâmina o feria a cada inspiração.

Ele não podia aceitar nada disso. Em seu desespero, sua mente focou no que parecia ser seu único recurso.

Ele a *tomaria*.

Em seus braços.

Tomaria os lábios dela com os seus.

E, por Deus, ele tomaria o fôlego dela. Deixando-a tonta e arfante, completamente incapaz de falar outra palavra devastadora.

Aquela encosta gramada interminável que ele amaldiçoou quando subiam até o observatório? Chase se sentiu grato por ela nesse momento. Ele tirou o casaco e o abriu na grama, depois deitou Alex nele. O mundo era um quarto particular, escuro, com um teto de estrelas.

E em algum momento entre os beijos, as carícias e o desabotoar, uma sensação de inevitabilidade desceu sobre os dois.

Ambos sabiam o que iria acontecer. O que *devia* acontecer.

– Alex... você sabe que não faço isso com todas. Na verdade, não faço este ato em particular com ninguém há algum tempo. Por mais que doa em meu orgulho admitir, meu desempenho pode não ser o de um virtuose.

– Eu não saberia a diferença.

– Tem razão. Isso é reconfortante. – Ele se acomodou entre as coxas dela. – Quer que eu espere até você contar cubos de açúcar ou algo assim?

– Não. – Ela riu. – Não preciso de cubos de açúcar.

– Alexandra. – Ele deixou a brincadeira de lado e falou em tom sincero. – Se eu a possuir dessa forma, pretendo ficar com você para sempre. Entende isso, amor?

Ela assentiu.

– Quando faço uma pergunta, preciso da resposta. – Ele a fitou no fundo dos olhos. – Diga-me que quer isso.

– Eu quero isso. – Ela subiu as mãos até o pescoço dele. – Eu quero você.

Chase esperava que ela quisesse aquilo de verdade, porque sua reserva de autocontrole cavalheiresco tinha se esgotado. Nada restava nele além de um desejo impetuoso, inconsequente. De ferver o sangue. A necessidade franca de estar dentro dela, com ela. De encarar qualquer coisa que os separasse e destruí-la com estocadas primitivas, rudes.

Ele pôs a mão entre os dois, pegando a ereção e colocando-o na entrada dela. A cabeça do membro deslizou para dentro da abertura molhada, e essa pequena penetração bastou para fazer com que ele estremecesse de prazer.

Apoiando-se nos antebraços, Chase rilhou os dentes e enfiou na seda apertada e quente do corpo dela.

– *Deus!* – ele exclamou.

Os dedos de Alex apertaram os ombros dele. Ele a ouviu inspirar com força.

– Está doendo? – Mesmo perguntando, ele moveu os quadris para avançar mais alguns centímetros. *Canalha.* – Consegue aguentar?

Ela assentiu.

– Eu... estou bem.

Graças aos céus.

Ele a beijou, agradecido. A cada avanço, Chase a sentia estremecer debaixo dele e se sentia um monstro por lhe provocar dor.

Toda sua técnica sensual foi esquecida. Ele queria ser delicado, paciente. Mas fazia séculos que ele tinha estado dentro de uma mulher desse modo, e ela não era qualquer mulher.

Era Alexandra.

*Sua* Alexandra. Sua para sempre. Apenas sua.

Só um pouco mais, ele prometeu a si mesmo. Chase não era um amante egoísta. Ele sabia ser paciente. Ele podia levar aquilo num ritmo tranquilo, permitir que ela tivesse tempo suficiente para se ajustar.

Mas primeiro, mais um pouco.

Mais um pouco. E um pouco mais. E, oh deus, mais. Até ele tomar tudo que ela tinha para oferecer. Enterrado até a base, os quadris se moldaram às coxas dela. O corpo de Alexandra envolvia o dele.

Ele nunca sentiu êxtase tão grande.

---

Por sua vez, Alex nunca sentiu dor tão forte.

Minha nossa. Ela sabia que as virgens em geral sentiam desconforto na primeira vez, mas não fazia ideia que fosse *assim*. Prazer não era nem uma miragem distante. Ela teria sorte se conseguisse chegar até o fim do ato sem gritar.

Ela mordeu o lábio até sentir gosto de sangue, decidida a não revelar sua dor. Alex não queria ferir os sentimentos de Chase.

— Alex. — Ele balançava os quadris de encontro a ela. — É tão gostoso com você.

Ela gemeu de dor por entre os lábios apertados, esperando que soasse um gemido de prazer.

— Me diga o que você gosta — ele disse.

— Está perfeito. Só... continue fazendo mais disso.

— No momento não estou fazendo nada.

— Sim, eu sei. — Ela deixou a cabeça cair para trás, na grama, e cobriu os olhos com a mão. — Está doendo como o diabo. Desculpe, mas ou você é grande demais ou ruim demais nisso. Desconfio que seja a primeira opção.

Uma risada ressoou no peito dele. E também naquela parte dolorida dela. Alex choramingou.

— Você devia ter dito algo. — Ele se apoiou nas mãos para levantar, ajoelhando entre as coxas dela. — Vamos parar agora mesmo.

Ele começou a sair dela. Alex apertou as coxas, prendendo-o onde estava.

— Eu não quero parar.

— Mas...

— Se vai doer da primeira vez, prefiro passar logo pela primeira vez.

— Sim, amor. Mas eu gostaria que nossa primeira vez não fosse algo que você tem que aguentar sofrendo. Homens grandes demais também têm orgulho.

— Não vejo como contornar isso. Deve existir uma solução

– Essa é a minha garota – ele disse com carinho. – Sempre sensata, nunca intimidada.

A cabeça de Alex começou a girar.

– Quero dizer, existem dezenas de posições para o sexo, não?

– Centenas, se podemos acreditar num volume ilustrado, bem manuseado, da minha biblioteca.

– Quem sabe nós conseguimos encontrar uma que não seja tão dolorosa – ela disse. – Se não for uma inconveniência.

– Uma inconveniência? – ele repetiu. – Alexandra, você está me pedindo para fazer amor com você numa dezena de posições diferentes. Se isso for uma inconveniência, eu lhe imploro: seja inconveniente todas as noites.

Alex sorriu. Ela o amava tanto.

O estranho foi que a dor já tinha começado a diminuir. O tempo que eles passaram conversando permitiu que o corpo dela se ajustasse, e agora ela nem estava tentando esconder seu desconforto, não estava tensionando todos os músculos.

– Vamos tentar assim, então. – Alex rolou de lado, levando-a consigo. Ele passou uma perna dela por sobre seu quadril, agarrando-lhe o traseiro.
– Está melhor assim?

– Parece.

Sem o peso do corpo dele somado a cada investida, as sensações eram mais suaves. Mais ao controle dela.

Ele ainda parecia impossivelmente grande dentro dela, mas Alex estava ganhando fé na sua capacidade de conquistar o impossível.

Como teste, ela mexeu com cuidado os quadris, subindo e descendo pela extensão dele. A dor difusa continuava lá, mas possuía um toque novo, mais doce. Um gemido baixo escapou de sua garganta.

Ele estudou o rosto dela.

– Continua ruim?

– Não. – Ela repetiu o mesmo movimento sutil. – Não, não está ruim. Está bem bom.

– Encorajador.

– Sim – ela suspirou, movendo os quadris de novo. – *Sim*.

Ela não saberia dizer quanto tempo eles permaneceram daquele modo. Movendo-se juntos num ritmo lento, o suor se formando entre seus corpos.

Alex sentiu como se estivesse escalando uma montanha, um passo de cada vez. Cada movimento levando-a mais e mais alto. Quanto mais perto ela chegava do pico, mais rarefeito o ar se tornava. Os pulmões dela lutavam para se encher. Ela estava grogue.

– Chase.

– Estou aqui. – A resposta dele veio trêmula. – Continua bom?

– Muito, muito bom. E você, como está?

– Morrendo através de milhares de cortes de êxtase, obrigado por perguntar.

Alex sorriu consigo mesma. Ele estava sendo tão paciente com ela. Tão delicado. Ela agradeceu dando beijos suaves no pescoço e no peito dele. Ela arranhou o braço dele de leve com as unhas.

A mão dele apertou o traseiro de Alex com mais força.

– Pelo amor de Deus, Alexandra. Você vai estragar minha demonstração heroica de autocontrole.

Ela levantou os olhos para Chase.

– Quem sabe é isso que eu estou querendo?

Chase encostou a testa no alto da cabeça dela e a segurou com força. Então investiu com mais força, mais fundo, extraindo uma exclamação dela.

– Sim – ela conseguiu dizer, preocupada que ele confundisse sua reação com dor. – Não pare.

Ela não precisava se preocupar. Ele nem diminuiu o ritmo.

Se prazer era uma montanha, Chase escalava sua face rochosa em passos largos e determinados. E Alex ia pendurada em seu ombro, aproveitando a escalada.

Ele a possuía com estocadas fortes, vigorosas, com uma intensidade que a empolgava. Ate os sons grosseiros, desesperados, que ele emitia eram deliciosamente excitantes. Quando ele grunhiu palavrões rudes em seu ouvido, uma sensação indecente de entusiasmo percorreu suas veias.

Ainda assim, quanto mais selvagem ele ficava, mais segura ela se sentia. A necessidade de Chase por ela era tão palpável, tão crua. Como se ele preferisse morrer a soltá-la. Alex se sentiu, pela primeira vez em uma eternidade, protegida de verdade. Toda a insegurança que carregava dentro de si – o medo constante que ela ignorava com seu sentido prático, sua lógica e seu bom senso – desapareceu de seu corpo.

O clímax a jogou para cima, livre e sem peso.

– Deus. – O ritmo dele deu uma vacilada, mas Chase nunca escondeu a cabeça no pescoço dela, no cabelo ou no próprio braço. Ele nunca se distanciou.

Ele ficou ali. Com ela. Com ela. Com ela.

– Alexandra.

– Estou aqui.

– Fale comigo.

– Sou eu. – Ela acariciou as costas dele. – Você está aqui, comigo. Eu te amo. Não existe outro lugar que seja mais seu.

– Alex. Deus, eu...

Quando o prazer sacudiu o corpo dele, Alex o abraçou apertado. Ele a manteve perto de si depois, dando beijos em todas as partes de seu rosto. Quando ele a beijou no nariz, ela riu.

Ele rolou de lado e eles ficaram como começaram, de mãos dadas, olhando para as estrelas. Era possível que isso tivesse acontecido há apenas cinco ou seis horas?

Chase a puxou para perto, trazendo a cabeça dela para seu peito. Seus dedos brincaram com o cabelo de Alex.

– Acho que o mundo está girando.

– O mundo está sempre girando – ela afirmou.

Ele soltou um gemido suave.

– Bem, é a verdade – ela disse. – Está girando o tempo todo.

– Que tal isso: e se eu disser que você é meu mundo. *Você* não está girando o tempo todo.

– Mas estou. Todos nós estamos. Nós estamos na Terra, e ela está girando, assim nós também giramos.

– Você está arruinando minhas bobagens românticas.

– É isso mesmo. – Ela pôs a mão no peito dele, cobrindo-lhe o coração que batia furiosamente. – Para mim, a verdade não arruína nada. Por que nossa compreensão do universo deveria diminuir nosso sentimento de admiração diante dele? Nós estamos girando e girando, a centenas de quilômetros por hora, numa pedra no meio de um universo infinito. Isso não basta para inspirar admiração?

– Se estamos girando a centenas de quilômetros por hora, parece mesmo um milagre que continuemos em cima da pedra.

– Não é milagre. É a gravidade.

Ele beijou o topo da cabeça dela.

– Eu te amo. Pronto. Você tem algum modo astronômico de arruinar isso?

– Não. – Ela se sentiu grata por Chase não poder ver seu rosto se contorcer de alegria. – Isso é um milagre.

– Olhe, para mim é a coisa mais lógica do mundo. – Delicadamente, ele a colocou de lado e rolou para cima dela, encarando-a. Com a ponta dos dedos, ele traçou as feições do rosto e os contornos do corpo dela. – Escute, eu poderia inventar alguma desculpa sobre não haver carruagens ou barcos a essa hora, ou dizer que uma ponte foi levada pela água. Nós poderíamos encontrar uma estalagem com apenas um quarto restante e fingir que fomos obrigados a dividi-lo. Mas, por Deus, a verdade é que eu quero passar o resto da noite abraçando você, e não me importa o que os outros digam.

Ela sorriu.

– Vamos fazer isso, então.

---

Eles fizeram amor mais duas vezes na estalagem, com apenas uma ou duas horas de sono entre os arroubos de paixão. Depois de todo aquele exercício, alimentação era uma necessidade.

– Você quer um noivado longo? – Chase balbuciou a pergunta com a boca cheia de ovo frito.

Alex colocou a xícara de chá na mesa. De repente, não confiava mais em seus dedos para segurá-la.

– O qu... o que você acabou de me perguntar?

Ele passou manteiga numa ponta da torrada, dobrou-a em duas e colocou tudo dentro da boca.

– Esperarmos pode livrar você do pior da fofoca. Você poderia voltar para sua casa e nós deixaríamos algum tempo passar. Quem sabe casamos na próxima primavera. – Ele largou a faca e o garfo e a fitou do outro lado da mesa. – Droga, eu não quero esperar até a primavera.

– Chase, do que você está falando?

– Do nosso casamento. Do que mais eu poderia estar falando?

– Não sei. De algo que possa acontecer de fato?

Ele empurrou o prato de lado, apoiando um antebraço na mesa, e se inclinou para falar em voz baixa.

– Eu lhe disse, noite passada, que aquilo significava *sempre*. Você disse que também queria o mesmo.

– É claro que eu quero – ela sussurrou de volta. – Mas *casamento*?

– Você disse que não seria minha amante.

– Você disse que não podia me oferecer nada além disso.

– Eu mudei de ideia – ele disse.

– Eu também – ela respondeu.

Ele tamborilou um dedo na mesa.

– Estou confuso.

– Pense nisso. Se o cometa for *meu* cometa, posso encontrar alguém que me pagará para colocar seu nome. Talvez o bastante para que eu me torne uma mulher independente com minha própria casa. Sua namorada, não amante.

– Já tive minha cota de namoradas, e várias outras cotas também. Não preciso de mais uma.

Alex suspirou.

– Você não pode casar comigo. Meu pai era um americano que vivia do comércio. Minha mãe era uma mestiça ilegítima. Eu fui batizada católica. Não tenho dinheiro nem contatos. Pelo amor de Deus, você vai se tornar duque. Eu sou a aia.

Os olhos dele cintilaram de emoção.

– Após meses me atormentando com a conversa de compromisso, você está recusando meu pedido. Você passou o verão inteiro dizendo a Rosamund e Daisy que uma mulher pode fazer qualquer coisa. Agora você vai dizer para elas que não pode ser uma duquesa. Você estava mentindo para nós o tempo todo, ou está enganando a si mesma, agora?

– Não sei. – Um bolo se formou na garganta dela.

Ele estendeu o braço sobre a mesa e pegou a mão dela, acariciando com carinho o dorso com o polegar.

– Me desculpe. Não precisamos resolver tudo isso agora. Eu só quero ficar com você.

– Eu também quero ficar com você.

Ele beijou a mão dela.

– Então vamos ficar juntos em casa. Estou com saudade do nosso colchão.

Ela amou que ele dissesse *nosso* colchão.

Ela o amava.

Talvez... só talvez... a esperança dela, agora, não terminaria em decepção. Talvez os sonhos *pudessem* se tornar realidade. Ela não estava fazendo pedidos a uma estrela. Agora Alex possuía um cometa.

Somando a viagem de carruagem, eles chegaram à Mayfair no meio da manhã. Alex planejava não fazer nada durante o dia, a não ser por se arrastar para dentro de casa, tomar um banho e tirar uma bela e demorada soneca – nos braços de Chase, se isso pudesse ser providenciado.

Ao chegar à Casa Reynaud, contudo, os planos de descanso deles foram abandonados de imediato. A Sra. Greeley saiu correndo da casa antes mesmo que a carruagem parasse.

– Oh, Sr. Reynaud. Graças a Deus o senhor voltou.

– Minha nossa, o que foi?

– Rosamund e Daisy. Elas sumiram. Fugiram.

## Capítulo trinta e dois

Fugiram? – Alex repetiu, na esperança de ter compreendido mal a governanta.

A Sra. Greeley desabou em lágrimas.

Chase não esperou pela confirmação. Ele correu para a casa e Alex o seguiu.

Juntos, subiram correndo até o quarto das meninas, que atravessaram para chegar à janela aberta. Uma escada de corda com nós pendia do parapeito até a rua.

*Oh, não. Oh, Senhor.*

Alex correu para o baú das meninas e o vasculhou, frenética, até chegar ao fundo.

– Sumiu. – Como ela temia.

– O que sumiu?

– O pacote de Rosamund. Eu o encontrei por acidente, semanas atrás. Ela tinha escondido dinheiro. Todas aquelas moedas formaram uma quantia significativa. Havia outras coisas, também, como mapas e horários de carruagens.

– E você não fez nada a respeito? Por Cristo, Alex.

Ela murchou diante do olhar dele.

– Não queria que ela soubesse que eu tinha encontrado.

– Você devia ter me contado. Devia ter confiscado.

– Ela teria feito um novo. A melhor maneira de evitar que ela fugisse era fazer com que sentisse que tinha um lar. E eu pensei que ela *estava* se sentindo assim ultimamente. Não consigo imaginar o que pode ter feito Rosamund mudar de ideia.

Chase meneou a cabeça.

– As cartas. Só pode ter sido as cartas.

– Que cartas?

– Cartas de todos os colégios internos decentes da Inglaterra, aceitando a admissão das garotas. Eu as deixei sobre a escrivaninha na noite passada.

– Ah, não.

– Ela deve ter descido na esperança de embolsar um ou dois xelins e viu as cartas. – Ele passou a mão pelo cabelo. – Aonde elas terão ido?

– Não sei. Talvez em direção a alguma cidade portuária.

– Cidade portuária?

Alex fechou os olhos por um instante, sentindo-se enjoada.

– Elas podem estar planejando se passar por garotos para arrumar trabalho em algum navio.

Chase soltou um palavrão imundo, digno do pirata mais malvado.

Alex xingou a si mesma. Ela devia *saber*. Rosamund não tinha participado do jogo de pirataria para atender aos caprichos de Alex. Ela devia estar prestando atenção. Não só para adquirir as habilidades exigidas de um menino-marujo, mas para saber como e onde conseguir trabalho. Todo esse tempo Alex lutou para fazer as meninas sentirem que tinham um lar. Na verdade, estava dando aulas de como fugir a Rosamund – de um modo tão rápido e destemido que ninguém conseguiria encontrá-las.

Chase saiu do quarto com a mesma determinação que entrou e começou a descer a escadaria. Mais uma vez, Alex o seguiu.

– Eu sinto tanto – ela disse com a voz fraca. – É minha culpa. É tudo minha culpa.

Ele não diminuiu o ritmo para discutir a culpa.

– Vou mandar o cavalariço preparar um cavalo descansado. Vou começar pelas estalagens do sul, perguntar se alguém com a descrição das garotas comprou passagens, e, em caso afirmativo, para que destino. Se isso não der em nada... Bem, vamos esperar que não seja o caso.

– Eu vou com você.

– Não. Você só iria me atrasar, e um de nós deve ficar aqui para o caso de elas voltarem.

– Mas eu...

– Fique. – Chase foi até ela e segurou seu rosto com as duas mãos. – Eu vou encontrar as meninas. Não importa para onde foram. Vou encontrar e trazer as duas para casa.

Estava anoitecendo quando Chase enfim voltou para casa. Ele não perdeu fôlego com amabilidades.

– Diga-me que elas estão aqui.

Alex desejava, com fervor e cada fibra do seu ser, que pudesse dizer exatamente isso para ele.

Mas ela teve que negar com a cabeça.

– Mandei mensagens para Penny e Nicola. Elas não viram as meninas, mas prometeram avisar se as duas as procurarem. Eu escrevi para o seu irmão, também. John também está procurando.

– Mas nada, ainda.

– Não.

O rosto pálido, sombrio de Chase estava de um modo que ela nunca tinha visto. Ele cambaleou até uma cadeira, desabou nela e apoiou a cabeça nas mãos.

– Oh, Chase. – Alex correu até ele, ajoelhando-se no tapete e passando os braços ao redor dos ombros dele. – Nós vamos encontrá-las. Vamos sim.

– Eu vou sair de novo. – Ele apoiou as mãos nos braços da cadeira e se levantou. – Não posso ficar sentado aqui.

– Você está exausto. Deixe que eu vou.

– Eu já disse...

Ela pôs a mão no peito dele, empurrando-o com firmeza.

– É melhor que seja eu. Tenho mais chance de encontrar as duas. Eu praticamente desenhei o plano de fuga delas.

Alex alugaria um navio e zarparia atrás delas, se fosse necessário. A ideia de navegar no oceano ainda a aterrorizava, mas esse terror empalidecia em comparação com o medo de perder as garotas. E Chase.

A campainha da entrada soou.

Eles correram para o hall de entrada.

Quando a porta foi aberta, lá estava ela – a resposta teimosa e gatuna, de 10 anos, às preces dos dois.

– Rosamund. – Chase a puxou para seus braços, apertando a cabeça dela contra seu peito. – Graças a Deus. Graças a Deus.

Alex passou os olhos pela escada da frente e pela calçada.

– Daisy. Onde está Daisy?

– Ela está no táxi. Ela se machucou.

— Petersfield. — Chase tomou um gole do conhaque. O líquido âmbar desceu queimando sua garganta áspera, cansada. — Elas conseguiram chegar até Petersfield. Isso é quase Portsmouth.

Alex assentiu e fungou.

— Eu sei.

As horas desde que Rosamund apareceu à porta de casa foram divididas em três atividades.

Primeiro, chamar o médico.

Depois, extrair dela os detalhes da aventura.

Por fim, sentar no canto do quarto delas, observando-as dormir.

— Petersfield — ele repetiu, entorpecido.

Aparentemente, o grande plano de Rosamund era viajar até Portsmouth de carruagem — um percurso de apenas nove horas, ela fez questão de mencionar. Chegando lá, as garotas planejavam — como Alex desconfiava — cortar o cabelo, vestir calças grosseiras e procurar trabalho nos navios como garotos.

O plano foi executado com perfeição, exceto por um detalhe. Ao descerem pela escada de corda, Daisy caiu, aterrissando sobre o braço. Rosamund ignorou as reclamações de dor por parte da irmã durante boa parte da viagem. Afinal, Daisy era perita em inventar doenças e sofrimento. Contudo, depois que o hematoma cresceu, não havia como ignorar que ela precisava de um médico. Elas desembarcaram da carruagem em Petersfield e pegaram a próxima carruagem rumo ao norte.

— Você tem que admitir que foi admirável o modo como elas conduziram tudo. Rosamund soube voltar para casa, e ela e Daisy chegaram em segurança. Isso mostra muita coragem e engenh...

— Pare — ele a interrompeu. — Não tente enxergar o lado bom disso. Se Daisy não tivesse caído, a esta altura elas estariam a um dia de viagem da Inglaterra. E se Daisy tivesse caído numa posição pior, ou de um pouco mais alto...

Ele estremeceu, tentando afastar a imagem terrível do sangue de Daisy se espalhando pelos paralelepípedos.

— A viagem de volta delas exigiu dinheiro, inteligência e coragem — ela disse. — Elas poderiam ter usado o mesmo dinheiro, inteligência e coragem para ir a qualquer parte. Mas vieram para cá. Elas voltaram para casa.

Chase apertou o maxilar. Como ela ousava? Como ousava elogiar o notável feito das meninas de não morrerem, tentando transformar aquela história numa fábula com a intenção de animá-lo?

Dessa vez era ela quem precisava encarar os fatos.

Ele iria expô-los para ela.

Chase levantou e fez um gesto silencioso para Alex segui-lo. Após deixar o quarto das garotas, ele seguiu para os aposentos dela.

– Isto é o que vai acontecer. – Ele arrancou um dos anúncios de aluguel de casa que Alex tinha fixado na parede. – Eu vou lhe comprar essa casa, ou uma parecida. – Ele estudou com atenção o anúncio. – Na verdade, vou lhe comprar uma casa muito melhor. Com espaço suficiente para você e as meninas.

– Eu e as meninas?

– Sim. Estou oferecendo prolongar seu emprego de aia delas. Indefinidamente.

– Aia delas? Não estou entendendo.

– Tem razão. O que estou pensando? Você não vai ser mais a aia delas. Vou contratar outra aia para viver com vocês e ensinar as garotas. Você vai ser uma astrônoma, claro. – Ele examinou os outros anúncios afixados na parede. Nenhuma das propriedades parecia remotamente satisfatória. – Você vai precisar de uma propriedade maior para isso. Com uma colina. Barrow vai encontrar algo. – Ele saiu do quarto dela, ruma à escada.

Ela o seguiu.

– Chase, pare. O que está dizendo não faz sentido.

Dessa vez era Alex que estava enganada. Ele estava recobrando os sentidos. Aceitado o que sabia desde o começo, mas tinha tentado ignorar, como um tolo.

– Você parece estar dizendo que vai mandar eu, as garotas e alguma outra aia para morar numa casa no campo.

– Uma casa grande. Perto de uma colina.

– E onde está você nesse plano, posso perguntar?

Chase endureceu o maxilar.

– Bem longe.

– Ah, não. – Ela levou a mão à testa. – Ontem nós estávamos prontos para embarcar numa vida juntos. Nós quatro, como uma família. Uma coisa dá errado e o plano inteiro é cancelado? Todo mundo volta a ser infeliz?

– Pelo menos ser infeliz significa estar *vivo*. Isso não foi um pequeno acidente, Alex. Ela caiu de uma janela. Poderia ter morrido na rua.

E, mais uma vez, eu não estava por perto. Estava em uma estalagem com alguma mulher.

O queixo dela deu um salto para cima.

– *Alguma* mulher?

– Você sabe o que eu quero dizer.

– Sim, eu sei. – Ela estendeu as mãos e pegou a dele. Sua voz estava calma, racional. – Eu sei exatamente o que você quer dizer, e entendo porque isso o aterrorizou. Mas não foi a mesma coisa. Daisy vai ficar bem.

Ele fez um gesto descontrolado.

– Ela quebrou o braço!

– Ela quebrou o braço, mas vai ficar bem.

Ele sacudiu a cabeça e foi para o escritório, pegando no bolso do colete a chave do cofre. Ele contou as notas de dinheiro.

– Cinco por semana. Duzentas libras no fim do verão. – Ele endireitou a pilha. – Pronto. 250 libras. Seu pagamento.

– Chase, não faça isso com elas. Não faça isso comigo.

Ele jogou as chaves sobre a escrivaninha.

– Eu *tenho* que fazer. Meu erro foi acreditar, por um momento, que podia ser de outro modo.

Alexandra afirmava ser sensata. Prática. Franca. Chase quis acreditar nisso também. Ele quase tinha se convencido de que ela o enxergava. De verdade, por tudo que ele era e não era, e que os olhos espelhados dela refletiam tudo que ele poderia se tornar.

Mas isso tinha sido uma ilusão. Os acontecimentos do dia eram a prova de que ele precisava.

Ela continuaria se iludindo de que ele era um homem bom, e insistiria em ficar repetindo isso para ele. Nenhum argumento, nenhuma evidência que ele lhe dava conseguia convencê-la do contrário. Ela não enxergava a verdade, e só restava a Chase um modo de transmitir sua mensagem.

Ele precisava magoá-la. Profundamente.

Mesmo que isso o eviscerasse e o fizesse sangrar.

– Eu nunca deveria ter falado em casamento. Foi um erro.

– Por que está fazendo isso? – A voz dela estava trêmula. – Eu sei o que nós compartilhamos na noite passada. Eu sei que você me ama. Talvez você esteja muito assustado para encarar a verdade agora, mas isso não muda os fatos.

– Mesmo que eu ame você, isso não importa. Sou o tutor de Rosamund e Daisy e vou me tornar o Duque de Belvoir. Preciso cuidar dessas responsabilidades. Do modo como estou me portando, mal frequento a periferia da boa sociedade. Pense em como poderia prejudicar o futuro das garotas se eu me casasse com alguém tão abaixo de mim.

– Tão abaixo? Você está sendo absurdo, Chase. Eu sei que você, especialmente você, não acredita nisso.

– Mas todo mundo acredita. E os Winstons Harveys de toda Londres vão cuidar para que ninguém esqueça de que você já foi "apenas" uma aia.

– Eu não sou "apenas" uma aia. Eu não sou "apenas" nada.

Ele empurrou as notas de dinheiro para ela.

– Neste momento, nem uma aia você é.

Uma lágrima se formou no canto do olho dela. A gota se prendeu aos cílios, ficando pendurada ali. Ela não fez a misericórdia de enxugá-la. Alex deixou que caísse, e ele a viu escorrer por seu rosto.

Chase quis arrancar o coração do próprio peito e jogá-lo na lareira. Por tudo que o órgão tinha lhe feito, era melhor se livrar dele.

Ela ignorou a pilha de dinheiro.

– Não acredito, nem por um momento, que você falou a sério. Eu o conheço melhor do que isso. Você é um homem bom, de natureza carinhosa. Mas mesmo que eu possa ignorar suas palavras, isso não quer dizer que elas não me machucaram.

– Pegue o dinheiro, Alexandra. E o telescópio também. Não preciso dele.

– Eu não quero o seu dinheiro. Acha que é uma troca justa pelo seu coração?

– Para ser honesto, acho que a troca vai ser melhor para você.

Ela meneou a cabeça.

– Amanhã, talvez depois, ou quem sabe na próxima semana, você vai acordar e perceber que foi um idiota, e vai querer se acertar comigo. Estou lhe dizendo agora: vai ser tarde demais. Essa foi a última vez que tive esperança, Chase. A última vez em que ousei sonhar com um futuro com você, só para ver esse sonho ser despedaçado.

Ele a encarou no fundo dos olhos e assentiu.

– Ótimo.

## Capítulo trinta e três

Na verdade, não demorou nem uma hora para Chase perceber que tinha sido um idiota. Não havia como excluir as garotas de sua vida.

Antes, quando tiveram de endireitar o braço de Daisy, Chase precisou segurá-la com o peso do corpo para que o médico pudesse trabalhar. Ela gritou de dor e tentou se soltar. Ele teria, de bom grado, quebrado os próprios braços e pernas se pudesse sofrer a dor no lugar dela. Foi a coisa mais angustiante que já tinha feito, mas Chase não teria permitido que ninguém a fizesse em seu lugar.

Enfim, tudo terminou. Daisy adormeceu, exausta pela luta. Chase também ficou esgotado. Ele acompanhou o médico até a porta, metralhando o homem com tantas perguntas que ele se virou e olhou para Chase como quem dizia, *Você não sabe de nada?*

Não. Em se tratando de ser tutor, ele de fato não sabia. Mas iria aprender.

O que vinha a seguir? Jantar, banho, histórias? Algum outro ritual amoroso ausente de sua própria infância, e portanto completamente estranho a ele? Chase imaginou que, por azar, vinho não estivesse na lista. Pelo menos ainda não.

Ele ouviu o som de choro vindo da sala de jantar. Ele foi espiar debaixo da mesa.

– Rosamund?

Ela lhe deu as costas, enxugando o nariz com a manga para tentar esconder as lágrimas.

Chase ficou de quatro para ir se juntar a ela debaixo da mesa. *Calma*, ele disse a si mesmo. *Não a assuste.*

Ela precisava de segurança, e cabia a ele fornecê-la – muito embora nunca tivesse se sentido menos seguro de si mesmo em toda vida.

– Daisy está bem – ele disse. – Ela está bem.

– Ela estava gritando. Eu ouvi.

– O médico precisou colocar o braço dela no lugar, mas já está feito. Imobilizado com a tala. Agora só precisa de tempo para sarar. Em poucos meses ela vai estar novinha em folha. – Ele pôs a mão nas costas dela. – Não foi culpa sua. Está me ouvindo? Foi um acidente. Não pode se culpar.

– Você não espera que eu acredite nisso. É claro que foi minha culpa. Fui eu que disse para ela fugir pela janela. Daisy não teria caído se não fosse por mim.

– Muito bem, então. Talvez você tenha parte da culpa. Mas parte é minha também. Eu deveria ter feito você se sentir mais segura aqui. – Chase tentou encontrar uma posição confortável no espaço apertado, dobrando as pernas até os joelhos tocarem o peito. – Vou lhe contar uma história.

– Um daqueles contos com moral, para a gente melhorar? Não, obrigada.

– É uma história triste, na verdade. Sem final feliz.

Em termos claros e simples, ele contou para Rosamund da morte de Anthony. É claro que deixando de fora os detalhes mais escandalosos. Mas o espírito da história permaneceu o mesmo.

– Eu prometi tomar conta dele – Chase concluiu, enfim. – Mas eu não estava lá quando ele precisou de mim.

Rosamund não respondeu, mas ele não queria que ela sentisse que precisava responder. Ela tinha 10 anos e Chase estava lá para consolá-la, não o contrário.

– Quando você e Daisy vieram para mim – ele continuou –, não acreditei que pudesse ser um bom tutor. Eu já tinha falhado com meu primo. E se eu falhasse com vocês também? Foi por isso que planejei enviar vocês para a escola interna na primeira oportunidade. Disse para mim mesmo que assim seria melhor para todos.

– Tem certeza de que não tinha razão? – ela perguntou, encostando os joelhos no peito.

– Com frequência eu não tenho razão, então é provável que não. – Ele suspirou, soltando todo o ar de seus pulmões. – Para ser honesto, Rosamund, fiquei apavorado. Não é só que eu falhei com Anthony. Eu também sentia muita falta dele. Tinha medo de perder mais alguém. Não queria gostar de vocês.

Ela fungou.

– Eu também não queria gostar de você.

– Por mais que eu tentasse evitar, parece que comecei a amar você e Daisy. E muito. Quando vocês sumiram, fiquei louco. Só conseguia pensar em como a casa ficava vazia sem vocês. Como minha vida ficava vazia.

– E eu pensava como nosso estômago estava vazio, que eu deveria ter levado mais sanduíches... – Ela apoiou o queixo no joelho. – Ou que eu nunca deveria ter fugido.

– Nós somos uma dupla e tanto. – Ele deu um sorriso contido. – O que vamos fazer com nós mesmos?

Ela deu de ombros.

– Eu penso assim: não dá para mudar o passado – ele continuou. – Se nos deixarmos consumir pelos nossos erros, vamos ficar presos num lugar nada bom. Acredite em mim, passei anos nesse lugar. Sei como é. A única opção é seguir em frente. Tentar melhorar. Eu posso não ser um tutor perfeito. Vocês podem não ser pupilas perfeitas. Mas se nos amarmos e dermos o melhor de nós, talvez consigamos. – Ele acrescentou: – Veja, todos nós precisamos nos esforçar para melhorar o comportamento, pelo menos em público. Mas eu vou tentar se você fizer o mesmo. O que me diz?

Ela ficou em silêncio. Ele sentiu que a menina se debatia por dentro. Rosamund não queria admitir que precisava dele ou de qualquer pessoa.

– Pisque uma vez para sim, duas para não.

Ela apenas se encostou no ombro dele.

– Vou entender isso como um "sim". Ele passou o braço ao redor dela e a beijou na cabeça. – É isso, espero que você perceba. Não dá para voltar atrás, agora.

Ela ergueu a cabeça.

– Aonde foi a Srta. Mountbatten? Ela levou as coisas dela. Você mandou ela embora porque a gente fugiu?

– Ela foi contratada para ensinar a você e Daisy durante o verão, e o verão acabou. Só isso. Mas você e Daisy estão convidadas para o chá na casa de Lady Penny toda quinta-feira. Você vai encontrá-la lá.

Rosamund deu um olhar de dúvida para ele. Havia horas de interrogatório naqueles olhos. Essa garota podia dobrar espiões experientes.

– Muito bem, não é só isso. Nós nos desentendemos.

– Você não pode pedir desculpa para ela?

– Receio que desta vez, não. – Ainda não.

Vai ser tarde demais, ela lhe disse. Seria cedo demais, também. Para que ele tivesse alguma esperança de reconquistar a confiança de Alex

– e o amor dela –, Chase teria que provar que merecia. Não só para ela, mas para si mesmo.

– Você deve ter feito alguma coisa muito feia, então.

Ele assentiu.

– Isso resume bem, sim.

– Então quer dizer que... a única opção é seguir em frente e tentar melhorar? – A voz dela tinha um tom de esperteza.

– Não faça eu me arrepender desse negócio de tutor.

Ela fez a voz mais grave, imitando a dele:

– Não dá para voltar atrás, agora.

Ele suspirou, exasperado.

– Você vai ficar repetindo minhas palavras?

– Isso resume bem, sim.

– Então eu prometo ser uma dama perfeita – ele disse.

– Maravilha. – Ela saiu de baixo da mesa. – Eu tenho uns guardanapos que você pode terminar de bordar.

⭐

Nem mesmo os biscoitos de Nicola conseguiam consertar um coração partido.

Era por isso que Alexandra estava, no momento, sentada na sala de café da manhã da Casa Ashbury, com um bolo de caramelo inteiro à sua frente e um garfo solitário.

Abatida, ela fazia furos no bolo e de vez em quando lambia um pouco da cobertura presa no garfo. Emma andava de um lado para outro perto dela, emitindo sons para acalmar o bebê agitado em seus braços. Breeches, o terror felino, estava em um de seus dias simpáticos. Ele se esfregava no tornozelo dela, ronronando.

Alex estava rodeada por sua melhor amiga, um bebê, um gato e um bolo.

– Sério – ela declarou – quem precisa dos homens?

– Parece que qualquer dia vamos ter um homem novo na vizinhança. Alguém enfim alugou a casa da esquina.

– A casa ao lado da Penny?

– Sim. – Emma levantou e foi até a janela. – Operários estão entrando e saindo a semana toda. Os boatos entre a criadagem dizem que é algum tipo de cavalheiro, mas ninguém sabe mais que isso. Seja quem for, aposto que o coitado não sabe no que está se metendo. Espero que ele não se importe com cabras no quintal ou lontras na calha.

– Bem, agora mesmo eu só tenho olhos para um cavalheiro, o pequeno Marquês de Richmond. – Alex pegou o bebê chorão dos braços de Emma. – Minha vez. Coma um pouco de bolo.

– Eu estava para lhe perguntar algo – Emma disse. – Eu e Ash adoraríamos que você fosse a madrinha de Richmond.

– Sério? – Alex ficou perplexa.

Emma assentiu.

– Eu adoraria, mas fui batizada católica e não pratico nada ultimamente.

– Khan será o padrinho e ele é muçulmano. Considerando que meu pai era um vigário e o pior tipo de hipócrita, e que Ash é Ash, sua religião não é problema para nós.

– O pastor vai permitir?

– A propriedade Ashbury provê o sustento dele. Ele vai ser persuadido.

– Então será uma honra para mim.

Transferindo o bebê para um braço, ela usou o outro para dar um abraço de alegria em Emma. E então, enquanto estavam juntas, o abraço tornou-se de desespero. Finalmente, as lágrimas que ela estava segurando começaram a fluir.

– Me desculpe. – Alex fungou ao sair do abraço. – Você já tem um chorão para acalmar. Não quero ser outra.

– Não diga bobagens. Chore o quanto quiser. – Emma pegou o bebê de volta e sentou numa cadeira, desabotoando a frente do seu vestido matinal. – Eu só queria poder resolver seu problema lhe dando de comer ou trocando sua fralda.

– Eu me sinto tão boba. Eu me permiti acreditar que ele me amava, e que ficaríamos juntos para sempre. Um dia depois, tudo ruiu.

– Talvez ainda dê para consertar. Você sabe que ele a ama.

– Esse não é o problema. Ele é terrível em deixar que lhe retribuam o amor.

Observando Emma amamentar o bebê, Alex sentiu como se uma mão pequena lhe apertasse o coração. Ela nunca tinha imaginado que casaria; nunca tinha sequer sonhado em ter filhos. Mas agora um desejo tinha se aberto nela. A esperança de ter crianças tinha aberto um espaço em seu coração e se instalado ali. Agora a esperança tinha desparecido, mas o espaço continuava, vazio e dolorido. Bem ao lado dos dois nichos rotulados Daisy e Rosamund e a pequena caverna que ela tinha aberto para acolher Chase.

Elas ouviram a campainha da porta.

– Khan vai atender – Emma disse. E acrescentou, em voz baixa: – Talvez seja ele.

– Não é ele – Alex disse alto.

Claro que, por dentro, seus pensamentos eram um tumulto. E se *fosse* ele? Podia ser. Ela queria que fosse? Talvez ele fosse lhe implorar para que voltasse. Talvez ele tivesse um anel de diamante no bolso e se ajoelhasse para pedi-la em casamento.

E então ela supôs que os dois montariam no unicórnio dele e cavalgariam em direção ao pôr do sol. *Sério, Alex.*

Khan, o mordomo, apareceu à porta.

– Vossa Graça, uma mulher está pedindo contribuições para um fundo de caridade.

Alex pegou seu garfo e o enterrou no bolo.

Está vendo? A mente dela a traía de novo. Não podia mais confiar em si mesma, não quando o assunto era Chase. Ela tinha que passar pela dor e sair mais forte do outro lado. Do contrário, seu sentimento por ele iria pouco a pouco arrancar pedaços de seu coração.

Até não sobrar nada.

## Capítulo trinta e quatro

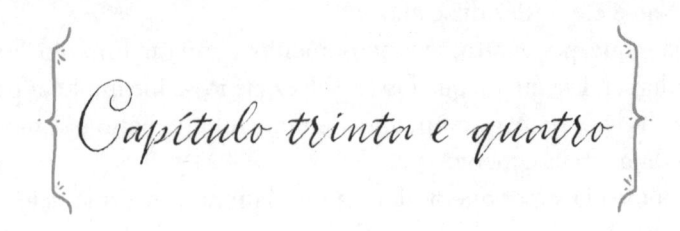

— O lado esquerdo precisa ficar mais alto – Daisy disse.

Chase largou o martelo e recuou um passo. Droga, ela tinha razão. A prateleira ainda não parecia reta.

Ele pegou uma chave e abriu uma gaveta trancada onde guardava suas ferramentas – pelo menos algumas coisas precisavam ficar fora do alcance de Rosamund –, mas em vez de uma régua, sua mão tocou algo que rangeu debaixo de seus dedos. Um pacote pequeno, plano, embrulhado em tecido marfim e amarrado com uma fita lavanda.

Ele tinha se esquecido por completo.

Chase não pôde deixar de rir com a ironia. Esse devia ter sido um presente surpresa para Alexandra, mas acabou sendo um presente para si mesmo. Um presente que tinha se dado semanas antes, sem nem perceber.

Uma desculpa para procurá-la.

Finalmente.

— Quanto tempo vai demorar? – Rosamund estava empoleirada na escada, segurando uma das pontas da prateleira. – Meus braços estão ficando cansados.

— Fique feliz que seus braços não estão quebrados – Daisy disse, irônica. – Levante um pouco. Seu lado está escorregando. – A garota estava gostando um pouco demais de seu papel de supervisora.

— Você pode largar a prateleira – Chase disse. – Eu vou sair.

— Sair para onde? – Rosamund perguntou.

– Vou falar com a Srta. Mountbatten.
– *Finalmente.*
– A gente pode ir junto? – Daisy perguntou.
– Dessa vez não, querida.

Chase precisava fazer isso sozinho, e tinha que ser hoje, antes que ele, de algum modo, se convencesse a não ir. O presente não era grande coisa. Nem perto do que ela merecia. Mas Chase queria que Alex ficasse com aquilo, ainda que ela se recusasse a ficar com ele.

Com um pouco de sorte e muitos pedidos de desculpas, seria esperar demais que Alex aceitasse ele e o presente? Talvez, mas ele precisava tentar.

Ele se dirigiu ao hall de entrada, onde Barrow estava vestindo seu chapéu.

– Vamos ter que adiar nossa reunião no banco. Vou falar com Alexandra.

Barrow recolocou o chapéu no gancho.

– *Finalmente.*

– Ela não vai querer me ver. – Chase colocou, apressado, o casaco. – Como posso convencê-la a me ouvir? O que eu digo?

– É você que tem a língua de prata. Não sei o que quer que eu diga.

– Tem razão. Não sei por que estou pedindo conselhos a um homem que pediu a mulher em casamento dentro de uma loja de miudezas.

– Pelo menos o *meu* pedido foi aceito.

– Isso foi cruel, Barrow.

– Mas é verdade.

Chase endireitou as lapelas do casaco. Se tivesse reunido algum poder de persuasão durante a vida, esse seria o dia para usá-lo.

– Cristo, é inútil. Eu a tratei tão mal. Você não faz ideia.

– Então, você cometeu um erro. – O irmão deu de ombros.

– *Um* erro?

– Muito bem, vários erros.

– Que tal dezenas?

– Não importa o número – Barrow disse. – Se você a ama...

– Como assim, "se"? Você sabia antes de mim que eu amava.

– Se você a ama – Barrow repetiu, impaciente –, pode ser que Alexandra o perdoe. Pense em quantos defeitos *eu* ignoro todos os dias.

– Você não ignora meus defeitos. Você gosta deles, pois fazem com que se sinta superior. Você gosta tanto dos seus princípios elevados.

– Eu gosto tanto de você, seu idiota. Você é meu melhor amigo e meu irmão de sangue. Ninguém que ama você espera que seja perfeito. Se, por algum milagre, você conseguisse ser, não iríamos reconhecê-lo.

Chase ia protestar, mas então percebeu que não queria.

– Tudo que você precisa prometer a ela é você mesmo. Isso basta. – Barrow pôs a mão no ombro de Chase. – Você basta.

Durante sua vida adulta, Chase tinha construído uma reputação incomparável através de seus gestos espontâneos de intimidade. Parecia, contudo, que ele tinha perdido a prática. O abraço que deu no irmão foi a coisa mais desajeitada, constrangedora que já tinha tentado na vida.

Barrow o soltou com uma batida nas costas.

– Agora vá, para que eu possa fazer uns contratos de casamento.

– E os desvios? Não se esqueça dos desvios.

– Chase, pare de enrolar e vá.

Pela primeira vez, Chase aceitou a sugestão do irmão sem discutir.

Ele começou pela casa de Lady Penelope Campion, mas a governanta o informou que ela tinha ido até a casa da Srta. Teague. Para lá ele seguiu.

A porta da Srta. Teague estava entreaberta, aparentemente para dissipar uma nuvem de fumaça. A casa cheirava a chocolate queimado e canela.

– Chase! – Penny acenou para ele entrar. – Bem na hora do chá. Sente-se e coma um biscoito.

– Ele não vai ganhar biscoitos – Nicola disse, exaltada. Ela tirou o prato da mesa, guardando-o. – Depois do que ele fez com a Alex? Nem os queimados.

– Mas ele está arrependido, agora. É evidente que ele veio para se desculpar. O pobrezinho está com uma aparência horrível.

Chase não soube como se sentir a respeito do comentário.

– Obrigado, mas não tenho tempo para chá e biscoitos. Eu trouxe algo para Alex. Ela vai querer receber isto imediatamente.

– Deixe aqui, então – Nicola disse. – Nós entregamos para ela.

Essa foi uma sugestão bastante razoável. Uma para a qual ele não tinha uma desculpa pronta. Ele decidiu tentar a verdade.

– Por favor, eu preciso vê-la. Preciso falar com ela.

– Está vendo, Nic? – Penny disse. – Ele está um farrapo.

– Eu estou um farrapo – Chase concordou. – Muito, muito esfarrapado. E também envergonhado, arrependido, desesperado e pronto para rastejar de quatro.

– Não esqueça do "apaixonado" – Penny disse, sorrindo.

Que Deus abençoasse Lady Penélope Campion por sua fé inabalável no romance. Ela possuía a natureza mais acolhedora, mais generosa que se podia imaginar. Chase reconhecia essa qualidade porque ela era do tipo de mulher que ele sempre manteve à distância. Um coração tão sem defesas que se machucava mais do que um pêssego maduro no verão. Algum dia ele se sentaria com ela e lhe daria alguns conselhos para não confiar demais em cavalheiros sedutores.

Mas não hoje.

Nicola finalmente respondeu a pergunta.

– Alexandra não está aqui.

– Quando ela vai voltar?

– Não vai, por algum tempo – Nicola disse.

– Ela foi...

A resposta de Lady Penélope foi interrompida. Por toda a casa, o que pareceram centenas de relógios começaram a badalar a hora. E, claro, tinha que ser meio-dia.

Naquele minuto de badalos e toque de sinos, Chase imaginou uma centena de conclusões terríveis para a frase de Penny.

*Ela foi para o porto pegar um navio.*

*Ela foi para as Filipinas encontrar a família da mãe.*

*Ela foi pegar o rabo do cometa para voar até um planeta que a mereça.*

*Ela foi para algum lugar, qualquer lugar, em que você não esteja, seu canalha desprezível.*

*Ela foi para Malta.*

Não importava, ele jurou. Aonde quer que ela tivesse ido, Chase a seguiria, encontraria, juraria seu amor e imploraria para ela voltar para casa. Nada o deteria. Não havia viagem distante demais nem obstáculo grande demais.

– Ela foi ficar na Casa Ashbury – Penny concluiu. – Ash e Emma vão para o interior amanhã. E vão levar Alexandra com eles.

Casa Ashbury. Maravilha.

Ele preferiria ir para Malta.

⭐

A recepção de Chase na Casa Ashbury foi como ele esperava. E, francamente, não foi pior do que ele merecia.

O duque agarrou Chase pelas lapelas e o jogou contra a parede.

– Escute, Ashbury, eu sei que ela está furiosa comigo, e por um bom motivo. Mas estou tentando fazer o que é certo. Apenas...

– Eu avisei – o duque disse num sussurro diabólico. – Eu lhe disse o que aconteceria se você a magoasse.

— Sim, eu me lembro — Chase disse. — Algo a respeito das minhas bolas, de um armário e um gato demoníaco.

— Oh, isso é só o começo — o duque grunhiu baixo. — Seu insolente torrão de sujeira.

— Eu não tenho que aturar isso. — Chase se livrou das mãos de Ashbury. — E não preciso da sua permissão para falar com Alexandra. Você não é o guardião dela.

— Sou amigo de Alexandra. E você não é nada dela.

Essas palavras o feriram. Talvez Ashbury tivesse razão, mas Chase precisava ir até o fim com aquilo.

— Isso é Alex quem vai decidir. — Chase rodeou Ashbury e ergueu a voz. — Alexandr... *arf*.

Ashbury o atacou por trás, derrubando-o no tapete e tapando a boca de Chase com a mão.

— Cale a boca, seu canalha — ele rosnou baixo. — Nem mais uma palavra, ou um par de bolas estraçalhadas vai ser o menor dos seus problemas.

Bom Senhor. Podia existir algo pior do que bolas estraçalhadas? As dele retraíram-se para o abdome só de ouvir aquilo. Chase só podia imaginar um tipo de dor que poderia superar essa.

Perder o amor da sua vida.

Chase plantou o pé no chão para ganhar apoio e conseguiu virar os dois. Ele se apoiou no peito de Ashbury e encarou o rosto cheio de cicatrizes.

— Eu lhe dei o benefício da dúvida por causa de Alex, mas agora fiquei bravo. Posso não ter um gato sanguinário, mas conheço uma garota que sabe fazer uma obstrução intestinal parecer um acidente, e tenho muita experiência em discursos fúnebres.

— Se você tentar...

Chase plantou a mão no rosto de Ashbury. Ao empurrar a cabeça do duque no tapete, ele se ergueu o suficiente para gritar.

— Alex! — ele berrou. — Eu preciso falar com vo...

Um conjunto de dentes ducais e mimados afundou na palma mão dele.

— *Merda*.

Chase puxou a mão, e Ashbury usou a confusão momentânea para reverter a situação mais uma vez. Lutando com joelhos e cotovelos, eles rolaram pelo chão não menos que três vezes antes de colidirem com uma mesa.

Infelizmente, Chase terminou a refrega por baixo. Ashbury enterrou o joelho na barriga dele.

— Por Deus, homem! — Chase exclamou. — Que diabo há de errado com você? Quero dizer, além de tudo que é óbvio.

– Seu pusilânime bocório. – Ashbury baixou o rosto desfigurado para menos de um dedo do nariz de Chase. – *Está na hora da soneca.*

– O quê? – Chase perguntou, confuso.

O duque rolou de lado, apoiando-se no cotovelo enquanto tentava recuperar o fôlego.

– Meu filho bebê está lá em cima, dormindo pela primeira vez em dezenove horas. A única coisa que me impede de arrancar suas vísceras aqui, no hall de entrada, seu porco podre de cara pálida, é que provavelmente vai acordá-lo com todos os seus lamentos e súplicas por misericórdia.

– Oh.

Em algum lugar no andar de cima, um lamento tênue quebrou o silêncio. Ashbury fechou os olhos.

– Eu o odeio.

– Só me deixe falar com a Alexandra. – Chase levantou e endireitou o paletó.

– Ela não está aqui.

– Seu maldito. Por que não disse logo? Você podia ter nos poupado toda essa bobagem.

– Eu precisava do exercício – Ashbury disse, levantando-se.

Chase o encarou, incrédulo.

– Os jornais tinham razão. Você é um monstro.

Ashbury deu de ombros, admitindo.

– Mas se a Alexandra não está aqui, aonde ela foi?

– Ela foi às compras – disse uma mulher que devia ser a Duquesa de Ashbury, parada no alto da escadaria, embalando um bebê nos braços.

– Não diga para ele – Ashbury reclamou. – Ele não merece saber.

– Ele comeu o "vegesunto". – Ela deu de ombros. – E o "atumoide". No mínimo ele conquistou a chance de falar com ela. – Para Chase, ela disse: – Alex disse que precisava comprar algumas coisas antes da viagem.

– Que tipo de coisas?

– Ela não me deu uma lista. – A duquesa hesitou. – Mas ela mencionou livros.

É claro. Livros. Ele devia saber que seriam livros.

– Você sabe qual livraria?

Ela meneou a cabeça.

– Receio que não.

Muito bem, então. Ele já tinha corrido demais por Londres para parar agora.

Chase teria apenas que procurar em todas elas.

# Capítulo trinta e cinco

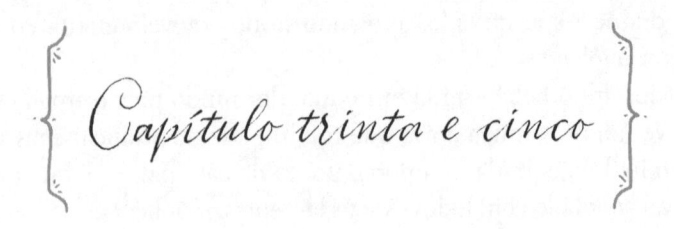

A livraria tinha sido um erro, Alex se deu conta.

Após semanas derramando lágrimas em seu bolo, umas comprinhas deveriam ter sido uma mudança agradável. A ideia de fugir para o campo lhe dava algo em que pensar. Distante de Londres, ela esperava que seu coração pudesse se curar com um pouco mais de rapidez. Mas só de estar na livraria sua ferida se abriu de novo.

Não era a Hatchard's dessa vez. Ela sabia que lá seria doloroso demais. Então, escolheu o Templo das Musas. A arquitetura em rotunda da loja sempre a encantou. Uma escadinha levava ao mezanino que circundava o interior do domo. As prateleiras eram abarrotadas de livros até a altura em que uma pessoa – bem mais alta que Alex – conseguia alcançar. Era ali que ela sempre procurava primeiro. Os livros do mezanino eram melhores do que os do térreo. Eram mesmo. Qualquer coisa colocada no mezanino ficava imediatamente melhor.

A exceção, nesse dia, era o estado de espírito de Alex. A galeria não melhorou o ânimo dela.

Ela não conseguia evitar ver os olhos de Chase procurando os seus, ou de sentir o modo como o sorriso encantador, sedutor dele fazia seu coração e suas mãos palpitarem. Era como se pudesse vê-lo diante de si. Inspirar seu cheiro.

Ela quase conseguia imaginar que estava ouvindo a voz dele.

– Alexandra! Alexandra Mountbatten!

Ela abriu os olhos e olhou para baixo, por cima do parapeito.

*Chase.*

Ele estava lá. Berrando seu nome numa livraria silenciosa e correndo pelos corredores como um louco.

Alex teve o impulso momentâneo de se esconder, mas algo nela não permitiu. Ela permaneceu pregada onde estava.

Enfim, ele acabou encontrando-a.

– Alex. Graças a Deus. – Ele se dobrou, apoiando as mãos nos joelhos. – Só me dê um momento. Estou sem fôlego. Estive correndo por toda Londres.

– Por quê? Para trombar comigo e me fazer derrubar meus livros de novo? – Ela apoiou um antebraço no parapeito, deixando que um volume escapasse de seus dedos. Ele atingiu o ombro de Chase. – Oh, céus.

Ele não se perturbou com o golpe.

– Fique onde está. Eu vou até aí.

– Não! – ela exclamou. – Você é a última pessoa que eu quero ver.

– Bem, você também é a última pessoa que eu quero ver.

Ela gesticulou, exasperada.

– Então por que você...

– Você é a última pessoa que eu quero ver antes de dormir, à noite. Todas as noites. A última mulher que eu quero beijar pelo resto da minha vida. E seu rosto lindo é a última coisa que eu quero ver antes de morrer. Porque eu te amo, Alexandra.

Ela sentiu os olhos arderem nos cantos.

– Como você é tão bom nesses discursos românticos, encantadores? É a prática, imagino.

– Talvez. Mas se eu pratiquei, parece que foi com o único objetivo de conquistar você neste momento. – Ele a fitou nos olhos. – Diga-me que está funcionando.

Parecia estar funcionando, e era isso que a aterrorizava.

– Por favor, não faça isso comigo. Sempre que está perto, eu crio uma esperança boba. Não faz nenhum sentido, mas não consigo evitar. E então me machuco de novo.

– Então vou falar daqui. Essa distância deve ser segura.

Alexandra não tinha tanta certeza. O encanto dele tinha maior alcance do que um canhão de seis libras.

– Você tinha toda razão – ele disse. – Eu me arrependi de tudo que disse algumas horas depois que você foi embora. Quis ir atrás de você no mesmo instante, mas sabia que não adiantaria. Você não tem motivo para confiar em mim. Para ser sincero, eu mesmo não confiava em mim. Mas agora posso ficar diante de você e dizer, com honestidade, que mudei.

Ela não sabia o que dizer.

– Você deveria nos ver. Daisy está devorando livros com mais rapidez do que eu consigo comprá-los, e comecei Geometria com Rosamund. Barrow me ajudou a encontrar uma professora. Ainda acredito que uma escola pode ser melhor para elas, algum dia, mas você tem razão. Elas precisam de mais tempo.

A satisfação e o amor na voz dele foram demais para ela. Alex deu as costas para o parapeito, emocionada. Em poucos instantes, ele estava subindo a escada para se juntar a ela no mezanino.

Ela o manteve à distância com o braço estendido. Alex quase tinha medo de perguntar, mas precisava saber.

– E a Caverna da Devassidão?

– Ah, sim. A Caverna. Infelizmente, o Covil Libertino não existe mais.

– Você devolveu o espaço para a Sra. Greeley?

– Não, não. As garotas me ajudaram a converter o lugar. Agora é o Palácio do Pirata. E às vezes serve de hospital geral.

Ela riu um pouco ao imaginar.

– Elas sentem tanta falta de você. Mas eu sinto mais.

Os olhos de Alex pinicavam. Ela piscou furiosamente. Estava desesperada para acreditar nele, acreditar nisso tudo. Mas ela tinha passado a desconfiar de seu coração.

– Olhe, vamos fazer do seu jeito. – Ele deu alguns passos na direção dela e pegou uma braçada de livros de uma estante próxima. – Vamos fazer duas pilhas. A favor e contra você se casar comigo. Vamos começar com "contra", porque são razões mais fáceis de identificar. Reputação terrível. Histórico de libertinagem. Não sabe se comportar em museus. – Ele foi empilhando os livros com uma lista absurda de supostos defeitos. Tantos que precisou pegar mais livros em outra prateleira.

– Posso também acrescentar um livro para cada vez que decepcionei você. – Com um suspiro profundo, ele adicionou mais meia dúzia de livros à pilha. – Pronto. Algo mais que você queira acrescentar?

Depois de refletir, ela pôs mais um na pilha.

– Galhadas.

Ele assentiu.

– Não sei como fui esquecer disso. Agora, a coluna "a favor".

Alex já tinha começado essa ilha em sua cabeça. O senso de humor dele. Sua natureza protetora, carinhosa. O modo como ele se interessava por certas coisas só porque interessavam a ela. Alex pensou que não devia deixar de fora da lista "maravilhoso na cama".

Em vez de começar uma segunda pilha no chão, contudo, ele enfiou a mão no bolso e tirou um pacote pequeno, que estendeu para ela.

– Eu te amo. É o resumo de tudo, na verdade. Pode ser o bastante?

Ela pegou o pacote, desfez o nó da fita lavanda e afastou o tecido. Dentro, ela encontrou um livrinho, encadernado em velino azul. Ela o virou nas mãos para ler o título gravado na lombada.

*Catálogo de Nebulosas e Aglomerados Estelares* de Charles Messier.

Alex olhou para ele, perplexa. Sua mente reviveu loucamente todas aquelas conhecidas fantasias. Todos os seus sonhos em que ele mantinha o livro perto do coração enquanto a procurava em todos os cantos da cidade. Até a reencontrar, declarar seu amor e implorar para que ela se tornasse a Sra. Mulherengo da Livraria.

– O livro esteve com você esse tempo todo? – ela perguntou.

– Não, é claro que não.

– Oh.

– Por que eu faria isso?

– Eu... não sei.

– Eu devolvi aquele para a Hatchard's no outono passado, no caso de você voltar para procurá-lo. E também porque eu não tinha ideia do que fazer com aquilo. Eu encomendei esta cópia há cerca de um mês, e pretendia dá-lo para você quando chegasse, mas entre você encontrar o cometa e eu passar por um cretino, me esqueci dele até hoje.

Bem, essa era uma história bem menos romântica, mas que fazia o coração dela bater mais forte mesmo assim. Porque era sem dúvida nenhuma real e totalmente Chase.

Ela passou as mãos pela capa e o levou ao nariz para sentir o cheirinho de livro novo.

– É lindo.

– Você é linda. – Ele estendeu a mão para ela, numa tentativa de lhe acariciar o rosto. – Eu gostaria de prometer que nunca mais vou magoar você. Mas sou novo nesse negócio de amor e compromisso. Devo fazer alguma besteira de vez em quando. O que eu posso prometer é não desistir. Nem de você, nem de mim mesmo. Nem de nós. Você me ensinou isso.

– Não consigo acreditar que você me ouviu.

Com um sorriso torto e encantador, ele a puxou para perto, puxando-a para seus braços. Ele a encarou com aqueles olhos verdes e calorosos – enxergando-a de verdade – de um modo que as pessoas raramente faziam, porque permitia que o interlocutor também as enxergasse.

Dessa vez ela não se sentiu a única mulher do universo. Nem a única mulher do mundo ou mesmo a única mulher da livraria.

Ela se sentiu a mulher nos braços dele, e isso era o bastante.

– Alexandra. Minha amiga, minha amante, meu amor. Venha para casa.

{ *Epílogo* }

— Oh, Alex. – Penny levantou a cabeça do telescópio. – É tão lindo.
Alexandra riu.
– É só um borrãozinho no céu.
– Mas é o *seu* borrão no céu – Chase disse.
– *Nosso* borrão – Alex o corrigiu.
Seus amigos estavam tentando de verdade parecerem impressionados com a mancha que ela tinha encontrado. Que Deus os abençoasse. Para Alex, não importava, de verdade, se eles compreendiam. Importava que estavam ali.
Todos estavam. O piquenique para observar o céu na Praça Bloom tinha crescido para se transformar numa verdadeira festa a céu aberto. Melhor ainda: numa festa de *família*.
Alexandra nunca sonhou em ter tanta gente para chamar de sua. Ela não tinha apenas Chase, Rosamund e Daisy. John Barrow, a esposa Elinor e o filho deles, o pequeno Charles, também faziam parte da sua família, agora. Como madrinha de Richmond, ela sempre estaria ligada a Emma e Ash. Nicola e Penny não conseguiriam se livrar dela nem se tentassem.
E ainda havia Marigold, a cabra, que tinha mais do que justificado sua presença no evento ao consumir "por acidente" uma cesta de sanduíches da Penny. E metade da própria cesta.
— Ainda que seja apenas um borrão no céu, pelo menos tem um nome grandioso – Nicola disse. – Embora eu tenha que dizer, o nome não sai com facilidade. "Cometa Mountbatten-Reynaud" é bem complexo.

— "Bem complexo" — Chase repetiu, refletindo. — As pessoas dizem isso como se fosse algo ruim. O que há de tão terrível em coisas complexas? Eu gosto de complexidade.

— Eu também gosto de algo complexo — Ash declarou. — Coisas simples são entediantes. Emma também gosta de complexidade. Não gosta, querida?

Alexandra e Emma se entreolharam. Era lindo que seus maridos estivessem se tornando "amigos ranzinzas", mas já era difícil lidar com cada um deles em separado. Juntos, seriam exponencialmente incorrigíveis.

— Pode culpar meu marido pelo nome. — Alex tinha insistido que batizassem juntos o cometa. Afinal, ele estava com ela no jardim naquela noite, e também depois quando confirmaram a descoberta. — Eu queria chamá-lo de Cometa Reynaud, já que agora eu também sou uma Reynaud.

— Sim, mas você não era quando o descobriu — Chase observou. — Nós discutimos isso. Você insistiu em dividir o crédito, mas não pode esconder sua realização atrás do meu nome.

Ele não entendia a ironia de um marido ditando como a esposa devia expressar sua independência. Ainda assim, Alex deixou o comentário passar sem dizer nada. Haveria uma conversa mais importante sobre batizado nos próximos meses, e ela precisava escolher suas batalhas.

Alexandra pôs a mão na barriga — e no pequeno borrão que crescia dentro dela. Ela tinha guardado a suspeita para si mesma até então. Não queria contar para Chase até estar absolutamente certa. E se ela lhe desse uma esperança — aumentando a sua — só para depois decepcioná-lo?

Então ela começou a reconsiderar. As esperanças e decepções também eram de Chase.

Ela pensou em contar para ele essa noite.

Emma entregou o bebê para Ash.

— Eu quero dar mais uma olhada no telescópio. Não é todo dia que se tem a chance de ver o cometa de uma amiga.

— Não, mesmo — Alex disse. — Dê uma boa olhada agora. De acordo com os cálculos da Sra. Somerville, depois deste verão, ele não vai poder ser visto de novo pelos próximos 147 anos.

— É melhor você deixar uma carta explicando tudo para seus tataranetos — Ash observou.

— Para isso eles precisam primeiro ter filhos — Emma disse.

— Excelente observação. Vamos tratar disso agora mesmo. — Chase juntou as mãos. — Dito isso, boa noite e até mais. Para todos vocês.

O marido dela era um malandro terrível.

Alex pensou que talvez não lhe contasse essa noite, afinal.

## Agradecimentos

Para Bren, Tessa, Elle, Steve, Ruth, Kelly, Rose, Sr. Dare e os "Darelings":

Eu não conseguiria, de jeito nenhum, terminar este livro sem cada um de vocês. Obrigada, do fundo do meu coração insone, cafeinado demais e eternamente grato.

## LEIA TAMBÉM

**Um casamento conveniente**
Tessa Dare
Tradução: A C Reis

Com metade do rosto marcado e desfigurado pela guerra, não foi só a aparência do Duque de Ashbury que sofreu mudanças: a rejeição e o olhar de desprezo das pessoas mutilaram também o seu interior. E, já que precisa viver às sombras da sociedade, ele decide que passará seus dias perambulando por Londres durante a noite para assustar todos que cruzarem seu caminho.

Mas o tempo passa, e em posse de um grande título, o duque sabe que precisará cumprir o dever de conseguir um herdeiro para seu ducado. Para isso, só existe uma regra: encontrar uma mulher que aceite um casamento de conveniência, lhe dê um herdeiro e desapareça de sua vida.

Quando Emma Gladstone, uma costureira, aparece na casa de Ashbury para exigir o pagamento de uma dívida, ele vê ali uma grande oportunidade de acordo e lhe faz a proposta de casamento. Mas o duque deixa claro que, após a gravidez de Emma, ela deverá partir para o interior e sumir para sempre. Ele precisa de um herdeiro. Ela precisa de um bom casamento. Os dois estão dispostos a tudo, desde que não envolva seus corações. Mas será que o amor cabe nas entrelinhas de um contrato?

Este livro foi composto com tipografia Electra LT e impresso
em papel Off-White 70 g/m² na Gráfica Rede.